Essais
(1580-1588)

MICHEL DE MONTAIGNE

BÉNÉDICTE BOUDOU
Agrégée de l'Université
Docteur ès Lettres

Sommaire

© HATIER, PARIS, 2001 ISSN 0750-2516 ISBN 2-218-**72054-x**

DEUXIÈME PARTIE

Cinq lectures analytiques

ANNEXES

Édition : Christine Ligonie
Maquette : Tout pour plaire
Mise en page : Ici & Ailleurs

FICHE PROFIL

Essais (1580-1588)

Montaigne (1533-1592)

Texte philosophique — XVIe siècle

RÉSUMÉ

Les *Essais* forment un ensemble de cent sept chapitres de taille variable, répartis en trois livres. Montaigne écrit cet ouvrage afin de mieux se connaître, en mettant son jugement à l'épreuve sur toutes sortes de sujets. Par cette diversité et par leur structure éclatée, les *Essais* n'ont rien d'une synthèse ordonnée.

– **Le livre I,** publié en 1580 avec le livre II, compte cinquante-sept chapitres. Après quelques observations d'ordre historique et militaire, Montaigne présente des réflexions philosophiques sur la mort, l'amitié, l'éducation, la solitude.

– **Le livre II** (trente-sept chapitres) est plus centré sur l'auteur. Il y expose ses idées sur le suicide, la cruauté, la relation entre parents et enfants, la maladie, il y évoque aussi ses goûts littéraires et y définit mieux son objectif : se peindre pour mieux se connaître.

– **Le livre III** (treize chapitres) paraît en 1588. Montaigne y développe des réflexions politiques, et il érige en valeur la conscience individuelle et l'expérience quotidienne qui font accéder à la vérité. La philosophie de Montaigne consiste désormais à suivre la Nature.

PRINCIPAUX THÈMES

1. L'exercice de l'esprit critique : tout exemple est soumis à une enquête démystificatrice.

2. La condamnation de la violence sous toutes ses formes, comme la guerre, la torture, la chasse.

3. L'éducation et les voyages : il s'agit de « former le jugement », non d'accumuler des connaissances. Le meilleur livre, c'est le monde et la diversité des usages que l'on découvre en voyageant.

4. Les autres : loin d'être enfermé dans une tour d'ivoire, Montaigne s'intéresse aux autres : il défend les « cannibales », et il accorde de l'importance aux échanges avec les autres (conversation, relation amoureuse, amitié).

5. Le corps, la douleur, la maladie : conscient de l'influence qu'ont les sensations sur le raisonnement, Montaigne a fait l'expérience de la souffrance, et il fait de la santé le souverain bien.

6. La vieillesse, la mort : Montaigne ne cesse de méditer sur la mort. D'abord désireux de s'endurcir pour l'affronter, il prend ensuite conscience que la mort fait partie de la vie.

7. La philosophie, la morale, la religion : à la réflexion abstraite qui passe à côté de la réalité, Montaigne préfère l'expérience.

CLÉS POUR LA DE LECTURE

1. Le genre de l'essai : créé par Montaigne, l'essai est un exercice du jugement sur tous les sujets qui se proposent à l'esprit. Les *Essais* sont d'abord des réflexions de Montaigne sur ses lectures. Il y puise des questions, au lieu d'en déduire des certitudes. Petit à petit, le commentaire personnel occupe presque toute la place.

2. La place de l'autobiographie dans les *Essais* : les *Essais* ne sont pas un journal intime, même si, en s'analysant, Montaigne se reconnaît différent selon les moments. Ils ne sont pas non plus récit de vie : le « moi » y tient la première place, mais comme sujet et objet de connaissance.

3. L'humanisme : les *Essais,* qui témoignent d'une grande confiance dans la Nature, proposent une leçon d'équilibre, d'un équilibre conquis par la confiance faite à l'homme, en dépit de ses lacunes. Pour être heureux, il faut s'accepter soi-même, modérer ses désirs et se méfier des préjugés comme des fausses valeurs.

4. La peinture d'une époque : Montaigne considère son époque à la lumière des historiens anciens et modernes. Nostalgique de temps anciens où certains hommes comme Socrate, Caton, Épaminondas témoignaient de courage et de loyauté, il dénonce les abus de son temps, et surtout la prétention des hommes à savoir quoi que ce soit.

Résumé des *Essais*

AVIS « AU LECTEUR »

Montaigne assure son public de la « bonne foi », de la sincérité de son livre. Destinés à ses proches, ses *Essais* doivent le faire mieux connaître.

LIVRE I

I, 1 – Par divers moyens on arrive à pareille fin. Montaigne réfléchit sur la diversité des comportements : comment attendrir « ceux qu'on a offensés » ? Tantôt c'est en leur inspirant la pitié, tantôt en faisant preuve de bravoure, tant les hommes sont imprévisibles.

I, 2 – De la tristesse. La tristesse se manifeste de façon diverse et parfois déroutante. D'ailleurs, toute émotion vive submerge l'âme et l'empêche de s'exprimer.

I, 3 – Nos affections s'emportent au-delà de nous [Nos sentiments nous transportent hors de nous]. L'homme se projette au-delà du présent par crainte, désir ou espoir. Il devrait plutôt, comme Socrate le recommande, chercher à se connaître dans le présent.

I, 4 – Comment l'âme décharge ses passions sur des objets faux, quand les vrais lui défaillent. [On a besoin d'exprimer ses émotions, même quand on ne peut s'en prendre à ce qui les a causées]. Une émotion saisit n'importe quel prétexte pour s'exprimer.

I, 5 – Si le chef d'une place assiégée doit sortir pour parlementer [négocier]. Une victoire digne de ce nom ne peut être remportée que dans un combat loyal et courageux. Le gouverneur d'une place forte menacée par une ruse de l'ennemi doit-il sortir pour parlementer ? Exemples et contre-exemples rendent difficile d'établir une règle, mais Montaigne ferait confiance à l'ennemi.

I, 6 – L'heure des parlements [des négociations] **dangereuse.** Ce chapitre poursuit l'idée du chapitre précédent : comment faire confiance en temps de guerre ? Certains tuent l'ennemi qui s'avance pour signer la paix. Montaigne entend rester loyal en toutes circonstances.

I, 7 – Que l'intention juge nos actions. Un homme n'est pas toujours maître de ses actes. C'est donc sur ses intentions qu'il faut le juger, non sur les circonstances extérieures.

I, 8 – De l'oisiveté[1]. Pour éviter de vagabonder, l'esprit doit se consacrer à un sujet. Sans la discipline de l'écriture, Montaigne verrait ses pensées s'éparpiller sans ordre.

I, 9 – Des menteurs. Mentir exige d'avoir de la mémoire, car il faut pouvoir se rappeler ses mensonges, ce dont Montaigne est incapable. Ce manque de mémoire l'oblige à raisonner, le conduit à pardonner volontiers les offenses (il les oublie !) et à éviter le mensonge, qui pervertit la communication entre les hommes.

I, 10 – Du parler prompt ou tardif [la prise de parole spontanée ou préméditée]. Montaigne réfléchit aux rapports entre la parole et le jugement. Certains orateurs, tels que les avocats, savent improviser ; au contraire, les prédicateurs ont besoin de se préparer. Mais la spontanéité peut se révéler fructueuse.

I, 11 – Des pronostications [prophéties]. Une nouvelle fois (I, 3), Montaigne s'étonne que les hommes s'intéressent plus au futur qu'au présent et soient avides de prophéties habilement obscures.

I, 12 – De la constance. Faire preuve de constance ne signifie pas s'exposer aux maux, mais supporter ceux que l'on ne peut éviter.

I, 13 – Cérémonie de l'entrevue des rois. Est-il plus courtois d'attendre un souverain chez soi, ou d'aller à sa rencontre ? Bien qu'il soit peu soucieux des « cérémonies », Montaigne reconnaît que bien se conduire est une façon de bien disposer les autres.

---

1. Au sens latin d'« abandon des affaires publiques au profit de l'étude ».

I,14 – Que le goût [l'appréciation] **des biens et des maux dépend en bonne partie de l'opinion que nous en avons.** Il n'existe pas de définition absolue du mal. Pour certains, il est lié à la souffrance, pour d'autres, à la pauvreté. Seuls sont heureux ceux qui sont persuadés de l'être.

I, 15 – On est puni pour s'opiniâtrer à une place [une place forte] **sans raison.** Au-delà de certaines limites, une vertu devient vice. Ont ainsi été châtiés ceux qui se sont obstinés à défendre une place militaire contre des ennemis trop nombreux.

I, 16 – De la punition de la couardise. Une action se juge à son intention, et l'on punit moins la faiblesse que la méchanceté. Si les lâches ont été traités avec une relative indulgence, c'est qu'on les jugeait suffisamment châtiés par la honte.

I, 17 – Un trait de quelques ambassadeurs. Les hommes cherchent à se faire valoir hors de leur domaine de compétence, au lieu de parler de ce qu'ils connaissent. Les ambassadeurs et les témoins ne devraient rapporter que ce qu'ils ont vu ou entendu. Mais peut-être n'est-ce pas toujours possible, ajoute la fin du chapitre.

I, 18 – De la peur. Si la peur paralyse certains individus, elle en incite d'autres à l'action et engendre parfois des actes insensés.

I, 19 – Qu'il ne faut juger de notre heur [bonheur] **qu'après la mort.** La mort est le moment de la vérité, au point même que certains ne sont rachetés, par leur mort, d'une vie coupable.

I, 20 – Que philosopher, c'est apprendre à mourir[1]. Comment les hommes, qui recherchent avant tout le plaisir, peuvent-ils vivre en sachant que « le but de notre carrière, c'est la mort » ? Peut-être la vie se mesure-t-elle moins à sa durée qu'à l'usage qu'on en fait.

I, 21 – De la force de l'imagination. C'est par le pouvoir de l'imagination que Montaigne explique la croyance aux miracles et aux visions, surtout chez les gens du peuple. De nombreux remèdes agissent aussi grâce à l'imagination, qui guérit le corps en influant sur l'esprit.

---

1. Ce titre est emprunté à Cicéron.

I, 22 – Le profit de l'un est dommage de l'autre. Peut-on blâmer quelqu'un de faire son profit grâce au malheur d'autrui ? C'est la loi même du gain : le médecin vit de la maladie de ses patients, et l'agriculteur de la cherté du blé.

I, 23 – De la coutume [habitudes, mais aussi façons d'agir établies par l'usage et ayant force de lois] **et de ne changer aisément une loi reçue.** Montaigne dénonce d'abord la force des habitudes : peu à peu, elles s'insinuent en nous où elles deviennent une seconde nature, capable de contrecarrer nos tendances spontanées. L'âme humaine est d'ailleurs modelée par des habitudes, comme en témoigne la diversité des mœurs et des usages d'un pays à l'autre. La force de la coutume va jusqu'à imposer aux gens de respecter des lois dont ils ne comprennent pas la langue[1]. Malgré ces absurdités, il faut respecter les lois de son pays, ce qui n'empêche pas le sage de juger librement des choses.

I, 24 – Divers événements de même conseil [La même intention produit des actes différents]. Montaigne examine ici quelques exemples de clémence et leurs conséquences opposées. Il en déduit que la prudence humaine ne peut rien contre le hasard qui gouverne les événements. Le hasard entre même dans la création poétique et dans l'inspiration des artistes, si bien qu'un lecteur découvre dans un texte des grâces auxquelles l'auteur n'avait pas songé.

I, 25 – Du pédantisme. Un pédant admire les savants qui l'ont précédé au point de ne pas penser par lui-même. Or l'idéal consiste à atteindre la sagesse. L'enseignement ne doit pas « meubler la tête de science », mais exercer plutôt l'esprit critique de l'enfant et l'inciter à une conduite morale.

I, 26 – De l'institution [éducation] **des enfants.** Dans le prolongement du chapitre précédent, celui-ci traite des problèmes pédagogiques. Éduquer un enfant, c'est d'abord former son jugement : cela requiert un précepteur qui ait « plutôt la tête bien faite que bien pleine », plus de sens critique et moral que de science. Tout peut servir d'étude, en particulier la communication avec d'autres et la visite

---

1. Dans le droit romain, qui prévalait au sud de la Loire, les lois étaient rédigées en latin.

de pays étrangers. Ainsi l'enfant apprendra à observer et écouter, à respecter la vérité où qu'elle se trouve, et il connaîtra la relativité des valeurs et des jugements. Enfin la formation de l'enfant n'est pas seulement intellectuelle et morale, elle est aussi physique : il convient d'aguerrir l'enfant plutôt que de le dorloter. Aguerrir, mais non punir, car le châtiment peut entraîner l'enfant à la violence ou à la dissimulation. L'essentiel, dans l'éducation, est donc de susciter le désir de l'élève. Sinon, on ne fait que « charger un âne ».

I, 27 – C'est folie de rapporter le vrai et le faux à notre suffisance [de prendre notre faculté de juger pour référence du vrai et du faux]. Si la crédulité est une forme d'ignorance, l'incrédulité est présomptueuse : en condamnant ce qui lui paraît invraisemblable, l'incrédule, au lieu de reconnaître sa faiblesse, fixe implicitement des limites à la puissance de Dieu.

I, 28 – De l'amitié. L'amitié qui unissait Montaigne à Étienne de La Boétie n'a rien à voir avec les autres relations familiales ou amoureuses. L'amitié seule constitue une communication parfaite entre deux individus qui se sont librement choisis. Telle est la rencontre entre Montaigne et La Boétie : chacun connaissait si parfaitement l'autre qu'il pouvait expliquer la moindre de ses actions. Depuis la mort de La Boétie, Montaigne ne vit plus qu'à moitié. Il voulait publier le *Discours de la servitude volontaire* au centre de son premier livre. Mais il y a renoncé[1].

I, 29 – Vingt-neuf sonnets d'Étienne de La Boétie. Avant 1588, Montaigne publiait ici vingt-neuf sonnets de La Boétie. Il les a fait disparaître ; ce chapitre n'est plus qu'une place vide.

I, 30 – De la modération. Partisan de la modération en toutes choses, Montaigne rappelle (I, 15) qu'une vertu devient vice si on la pratique avec excès.

I, 31 – Des cannibales. La découverte de nouvelles contrées souligne la relativité des jugements de valeur. Les hommes rejettent facilement ce qui ne correspond pas à leurs mœurs. L'on a ainsi appelé

---

1. La Boétie dénonçait la tyrannie en rappelant que tout pouvoir doit s'appuyer sur le consentement des sujets. Mais les protestants ont publié (1574) son livre comme un encouragement au tyrannicide.

« barbares cannibales » les habitants du Brésil, qui ne connaissent ni lettres ni sciences, mais qui ignorent aussi les vices. La fin du chapitre inverse la perspective en présentant trois Brésiliens venus visiter la France et qui ont été choqués par l'inégalité des conditions entre les hommes.

I, 32 – Qu'il faut sobrement se mêler de juger des ordonnances divines. Ceux qui cherchent à deviner les desseins de Dieu sont des imposteurs qui tablent sur l'ignorance et la crédulité des hommes.

I, 33 – De fuir les voluptés au prix de la vie [en s'ôtant la vie]. À une vie de plaisirs, certains païens ont préféré la mort.

I, 34 – La fortune se rencontre souvent au train de la raison [Le hasard va souvent de pair avec la raison]. Le hasard agit souvent mieux que ne le font les décisions des hommes.

I, 35 – D'un défaut de nos polices [Une lacune dans nos sociétés]. Montaigne reprend ici une idée de son père, qui avait pensé créer une sorte de bourse d'échanges où puissent se rencontrer directement vendeurs et acquéreurs.

I, 36 – De l'usage de se vêtir. La force des coutumes s'observe partout, en particulier dans l'usage de vêtements auxquels la nature ne nous oblige pas. D'autant que les vêtements ne protègent pas toujours du froid ni de l'indécence.

I, 37 – Du jeune Caton*. Faute de trouver dans l'actualité des exemples de vraie vertu et de savoir juger autrui sans partialité, on a terni certaines belles actions d'autrefois. Caton n'est pas mort par crainte de César, mais pour ne pas survivre à la République, qu'il savait perdue.

I, 38 – Comme nous pleurons et rions d'une même chose. Un vainqueur peut pleurer la mort de celui qu'il a vaincu. Les âmes sont animées d'émotions diverses, et se réjouir de s'être vengé n'empêche pas de regretter le mal qu'on a causé.

I, 39 – De la solitude. Certains prétendent que les hommes sont nés pour vivre en société. Ils y cherchent surtout leur profit personnel. Il faut savoir rentrer en soi-même au beau milieu de la foule, se détacher de tout et se contenter de soi-même (« être à soi ») pour être vraiment libre.

I, 40 – Considération sur Cicéron. En comparant différents philosophes, Montaigne prolonge la réflexion du chapitre précédent sur l'ambition et reproche en particulier à Cicéron sa vanité d'orateur. Loin de souscrire à ce modèle, Montaigne se contente de jeter ses idées sans les développer.

I, 41 – De ne communiquer [ne pas partager] **sa gloire.** Dans le sillage du chapitre précédent, celui-ci réfléchit au souci que bien des hommes ont de leur « gloire », d'une gloire que souvent d'autres, restés dans l'ombre, ont conquise pour eux.

I, 42 – De l'inégalité qui est entre nous. Alors qu'on sait apprécier les qualités d'un animal, on est le plus souvent incapable de discerner la sagesse d'un homme. Or elle seule distingue les individus, et un roi n'en a pas plus qu'un autre homme. De plus, la fortune ne suffit pas à rendre heureux, car bien des plaisirs sont gâchés par une vie trop facile. Enfin, chez un prince, les moindres fautes sont appelées tyrannie. Les privilèges des grands sont surtout imaginaires.

I, 43 – Des lois somptuaires [Les dépenses de luxe][1]. Les lois somptuaires, qui règlent le port des vêtements suivant le rang social des personnes, sont inappropriées à leur finalité, selon Montaigne. En réservant le luxe à quelques privilégiés, elles le font envier au lieu d'en inspirer le mépris. Les princes ne peuvent-ils pas, d'ailleurs, se distinguer autrement que par le luxe ?

I, 44 – Du dormir. Le sommeil n'est pas incompatible avec le courage. De nombreux grands hommes de l'Antiquité ont dormi avant ou après un grand combat.

I, 45 – De la bataille de Dreux. Évoquant sans prendre parti l'événement contemporain de la bataille de Dreux[2], Montaigne réfléchit à un problème de tactique militaire : il est parfois nécessaire de sacrifier une partie de ses troupes pour l'emporter finalement.

---

1. Du XIIIe au XVIe siècle, des ordonnances royales contre le luxe ne permettaient qu'aux princes le port de certaines étoffes. Périodiquement renouvelées, ces lois étaient peu suivies.

2. La bataille de Dreux eut lieu le 19 décembre 1562, au début des guerres de Religion. Le catholique François de Guise y vainquit les protestants conduits par le prince de Condé et l'amiral de Coligny.

I, 46 – Des noms. On a tort d'attacher tant de prix aux noms propres : l'identité de chacun ne lui vient pas de son nom.

I, 47 – De l'incertitude de notre jugement. Toutes les attitudes peuvent s'expliquer, constate Montaigne. Armer somptueusement ses soldats peut stimuler leur ardeur au combat, mais aussi les en divertir par le souci qu'ils auront d'eux-mêmes. En réalité, l'issue des événements et la plupart de nos décisions dépendent surtout du hasard.

I, 48 – Des destriers. Montaigne consacre ce chapitre à l'importance des chevaux dans l'Histoire.

I, 49 – Des coutumes anciennes. Chaque peuple juge des autres d'après ses mœurs, pourtant relatives. En témoignent les caprices de la mode, les variations des règles d'hygiène, de civilité ou de goût.

I, 50 – De Démocrite* et Héraclite*. Tous les sujets de réflexion sont bons pour Montaigne (« Le jugement est un outil à tous sujets »), car, humbles ou grandes, toutes les occupations d'un homme le donnent à connaître. La condition humaine attristait ainsi Héraclite. Démocrite, lui, s'en moquait : c'est tout ce qu'elle mérite.

I, 51 – De la vanité des paroles. La rhétorique* est une science vaine : elle farde les actes, mais ne les change pas.

I, 52 – De la parcimonie des Anciens. Montaigne évoque ici l'extrême frugalité dans laquelle ont vécu de grands hommes comme Homère ou Caton*.

I, 53 – D'un mot de César. Au lieu de chercher à comprendre les choses simples, l'esprit humain s'évertue hélas à découvrir ce qui lui échappe. César s'en étonnait déjà.

I, 54 – Des vaines subtilités. Revenant ici sur la vanité de la rhétorique, Montaigne oppose l'action efficace à la recherche de la complication ou de la rareté.

I, 55 – Des senteurs. Les odeurs influent sur notre humeur : la médecine et la religion devraient en tirer profit.

I, 56 – Des prières. Après avoir prudemment affirmé son obédience à l'Église catholique, Montaigne envisage la relation de l'homme à Dieu qu'établit la prière. Elle devrait surtout être un acte de contrition[1]. Que les hommes évitent donc de s'en servir comme d'une formule magique et se rappellent que Dieu est sans commune mesure avec eux.

I, 57 – De l'âge. Au lieu de reculer le début de la vieillesse[2], on devrait laisser plus tôt les jeunes gens agir librement, car les grandes choses s'accomplissent souvent avant trente ans.

LIVRE II

II, 1 – De l'inconstance de nos actions. Montaigne commence son deuxième livre par une idée à laquelle il tient particulièrement : l'inconstance humaine. Les hommes agissent très diversement, selon les instants et les circonstances, ce qui les rend difficiles à juger.

II, 2 – De l'ivrognerie. Montaigne réprouve l'ivrognerie parce qu'elle anéantit l'esprit en même temps que le corps.

II, 3 – Coutume de l'île de Céa[3]. Montaigne, qui se veut soumis à l'autorité religieuse, débat ici du suicide. Le choix du moment de la mort revient-il à Dieu seul ? Certes, continuer à vivre est souvent plus vertueux que de se donner la mort. Mais certaines morts choisies en pleine conscience témoignent aussi d'un courage exceptionnel. Ne peut-on comprendre que quelqu'un se tue pour se délivrer d'une souffrance intolérable, ou d'une vie pire que la mort ?

II, 4 – À demain les affaires. Il faudrait se sentir libre de différer certaines affaires, au lieu d'en être esclave.

II, 5 – De la conscience. Montaigne examine la force de la conscience morale, qui amène l'homme à se punir soi-même. À partir

1. C'est l'expression, dans la religion chrétienne, de la douleur sincère d'avoir offensé Dieu par ses péchés.
2. Pour les médecins, la vieillesse se divisait en deux étapes : une première, de 35 à 49 ans, et une seconde, comportant encore trois stades, dont le dernier est celui de la décrépitude physique. Pour les astrologues, la vieillesse (qui va de 56 à 68 ans) est le sixième des sept âges qui constituent la vie d'un homme. Le septième âge (« caduc et décrépit ») va de 68 à 88 ans.
3. Aujourd'hui, île Zéa, dans la mer Égée.

de là, il s'interroge sur la procédure de la torture judiciaire[1]. Les juges pensent que la bonne conscience de l'innocent le fortifie contre la torture. En réalité, la torture éprouve surtout la résistance à la douleur, qu'accroît l'enjeu de l'aveu. Un coupable qui se tait sous la torture sauve sa tête d'une mort certaine. La torture fait donc avouer n'importe quoi à l'innocent et elle s'en prévaut ensuite pour le condamner à mort.

II, 6 – De l'exercitation [entraînement]. Comment faire l'expérience de la mort ? Le sommeil, qui prive l'homme de tout sentiment, et plus encore l'évanouissement sont assez proches de la mort : « Pour s'apprivoiser à la mort, je trouve qu'il n'y a que de s'en avoisiner. » Blessé dans un accident de cheval, Montaigne s'est rendu compte que les mourants ne sont pas « fort à plaindre » car, ayant l'âme aussi affaiblie que le corps, ils n'ont pas conscience de leur « misère ». Pour apprendre à vivre – et à mourir –, il faut se connaître. Or l'écriture constitue un instrument d'analyse privilégié.

II, 7 – Des récompenses d'honneur. Il importe que les récompenses dont on honore les grands hommes ne soient pas galvaudées par une distribution excessive.

II, 8 – De l'affection des pères aux enfants. L'affection des parents pour leurs enfants devrait augmenter au fur et à mesure que ceux-ci grandissent et deviennent des êtres raisonnables. Il serait bon que les pères soutiennent leurs enfants en ne faisant pas attendre leur héritage. En recommandant aux hommes de retarder à trente-cinq ans l'âge du mariage, Montaigne espère que la différence d'âge entre les pères et leurs enfants garantira le respect et l'affection mutuels. Mais, en aimant nos enfants, nous oublions, dit Montaigne, que leur valeur est moins la nôtre que la leur. Nous devrions aimer davantage les productions de notre esprit, qui sont plus nôtres, comme les livres que nous écrivons.

---

1. La pratique de la torture par les tribunaux fut rendue officielle en France par l'édit de Villers-Cotterêts, en 1539, et se poursuivit malgré son abolition en 1580. Encore appelée « question » ou « géhenne », elle intervenait pour arracher l'aveu (torture préalable) et pour punir le criminel, après son aveu.

II, 9 – Des armes des Parthes[1]**.** Les Anciens se fiaient plus à leur courage qu'à leurs armes pour combattre. Aujourd'hui, on manque de courage même pour prendre les armes.

II, 10 – Des livres. Avant d'évoquer ses pratiques de lecture et ses auteurs préférés, Montaigne décrit le lecteur qu'il souhaite avoir pour ses *Essais*. Lui-même ne lit que par plaisir et dans le but de mieux se connaître. Ses poètes préférés sont ceux qui évitent l'affectation, tels que Virgile, Lucrèce, Catulle et Horace. Il apprécie encore la concision de Plutarque et de Sénèque. Chez les historiens, il aime surtout ceux qui ont participé aux faits qu'ils relatent, et ceux qui s'intéressent plus à la vie intérieure des hommes qu'aux événements.

II, 11 – De la cruauté. Comment définir la valeur morale ? Pour les stoïciens* et les épicuriens*, est vertueux celui qui lutte contre ses instincts. D'autres prennent pour modèle Socrate, qui agit selon la raison. Montaigne lui-même se reconnaît une vertu naturelle, une « innocence », une sensibilité qui lui fait haïr spontanément la plupart des vices, en particulier la cruauté. Il revient ainsi sur la torture, qui lui semble une pratique barbare (II, 5), plus redoutable que la peine capitale et peu efficace. Il réprouve encore la cruauté de la chasse : pourquoi l'homme fait-il souffrir des animaux, qui sont comme lui des créatures sensibles ?

II, 12 – Apologie[2] **de Raymond Sebond.** Ce chapitre est, de loin, le plus long des *Essais* (il en représente le septième). Il traite de l'opposition de la foi et de la raison, et surtout de la faiblesse de la science. Montaigne a traduit du latin *La Théologie naturelle* que son père avait reçue d'un théologien* espagnol, Raymond Sebond. Sebond cherchait à démontrer par la raison les vérités de la religion. Tout en prétendant défendre la pensée de Sebond, Montaigne va en réalité la contredire en ruinant la raison humaine. Faible et sans défense, l'homme se montre pourtant la créature la plus orgueilleuse de l'univers. Or en quoi est-il même supérieur aux animaux ? Par

---

1. Les Parthes étaient, dans l'Antiquité, un peuple d'origine iranienne, dont l'organisation sociale reposait sur la prééminence d'une aristocratie guerrière.
2. Éloge et défense.

leurs mœurs, par leur faculté d'imaginer, les bêtes ressemblent aux hommes et peuvent leur en remontrer. Les hommes se targuent de posséder la connaissance. Mais les simples et les ignorants sont souvent plus honnêtes et plus heureux que les savants.

Montaigne passe alors en revue les principales écoles philosophiques : les stoïciens et les épicuriens croient avoir trouvé la vérité, les académiciens* désespèrent de la découvrir, les pyrrhoniens*, enfin, continuent à la chercher, tout en confessant leur ignorance. Telle est l'attitude que Montaigne adopte.

Il donne ensuite des exemples de l'ignorance humaine. Depuis l'Antiquité, les philosophes ont essayé de concevoir Dieu, mais ils se contredisent et révèlent surtout leur anthropocentrisme. Ils n'arrivent pas davantage à définir l'âme, ou à connaître le corps. Incapable d'atteindre la vérité, l'homme ne la trouve que par hasard ou par la grâce de Dieu. Les sensations même sont instables, et selon les moments, on perçoit les choses différemment : « Si ma santé me rit [...], me voilà honnête homme, si j'ai un cor qui me presse l'orteil, me voilà renfrogné. » Qu'est-ce que le bien suprême : la vertu ou le plaisir ? La diversité des coutumes et des lois témoigne encore de l'instabilité de la raison, impuissante à déterminer la loi morale. Les sens enfin sont incertains ; ils se laissent encore abuser par l'imagination, comme dans le phénomène du vertige[1].

Pour conclure ce long chapitre, Montaigne affirme que la grâce de la foi doit compenser l'insuffisance de la raison. L'homme ne pourra s'élever que si Dieu lui apporte son aide.

II, 13 – De juger de la mort d'autrui. Revenant sur une question qu'il a déjà évoquée (chapitres I, 7, 14, 20 et II, 6), Montaigne se demande comment évaluer le courage de quelqu'un qui meurt mais n'a pas conscience de mourir.

II, 14 – Comme notre esprit s'empêche soi-même [se gêne lui-même]. À quoi tient la décision que l'on prend quand on hésite entre deux possibilités équivalentes ? C'est une impulsion irrationnelle qui

---

1. Montaigne donne l'exemple suivant : le plus grand philosophe n'oserait marcher sur une large poutre qui relierait les deux tours de Notre-Dame.

amène l'homme à choisir, disent les stoïciens*. Montaigne pense plutôt que, dans une alternative, les deux possibilités ne sont jamais parfaitement identiques.

II, 15 – Que notre désir s'accroît par la malaisance [par la difficulté de le réaliser]. Pour certains, la perspective de la mort dégoûte de la vie. Montaigne au contraire trouve qu'elle lui donne son prix : on n'apprécie que ce qu'on goûte rarement.

II, 16 – De la gloire. Pourquoi les hommes cherchent-ils à acquérir une gloire, un honneur qui dépend du hasard ou de l'approbation d'une foule ignorante? Le seul honneur dont on puisse se targuer, c'est d'avoir vécu sereinement. C'est pourquoi Montaigne se défie de l'approbation d'autrui qui ne voit que l'apparence. Lui seul est en mesure de se connaître et de se juger.

II, 17 – De la présomption [opinion trop avantageuse que l'on a de soi-même]. Autre forme de l'orgueil, la présomption conduit chaque individu à se préférer aux autres. Montaigne, au contraire, incline à surestimer autrui. Mais, se prendre pour sujet d'étude, n'est-ce pas présomptueux? Loin de se vanter, Montaigne aurait plutôt tendance à se déprécier : à côté des productions des Anciens (c'est-à-dire des Grecs et des Romains), rien de ce qu'il a écrit ne lui plaît vraiment. Il propose alors son portrait : du point de vue physique, il ne se trouve guère de qualités. Dépourvu d'ambition et de mémoire, il a horreur du mensonge et besoin de liberté. De son livre, il n'attend pas de gloire, d'autant moins qu'il n'est pas sûr d'être lu comme il le souhaite. Pourtant, il a rencontré une lectrice qui l'a compris : Marie de Gournay[1], sa fille spirituelle, ou « fille d'alliance ».

II, 18 – Du démentir [mentir et se démentir, se dédire]. Montaigne enchaîne ce chapitre au précédent en se justifiant d'écrire sur soi. Il ne vise pas la postérité, mais ses proches. Même s'il ne devait pas être lu, écrire sur soi l'a contraint à corriger ses défauts.

II, 19 – De la liberté de conscience. Montaigne s'exprime ici (ce qui est rare) sur un problème politique qui se pose avec acuité au

---

1. Il l'a rencontrée en 1588 à Paris où elle est venue lui témoigner son admiration. C'est Marie de Gournay qui publiera l'édition posthume des *Essais* (1595).

moment où il écrit son livre[1] : la liberté de conscience avive-t-elle ou apaise-t-elle les dissensions ? Des convictions trop affirmées peuvent produire des catastrophes.

Montaigne regrette ainsi l'intolérance des débuts du christianisme, et il fait l'éloge de l'empereur Julien l'Apostat : « Il était ennemi de la chrétienté [...] mais sans toucher au sang. » Il a encouragé la tolérance religieuse de façon machiavélique, « pour attiser le trouble de la dissension civile ». Nos rois ont fait le contraire : en choisissant la tolérance, ils ont transformé en vertu ce qui était une obligation.

II, 20 – Nous ne goûtons rien de pur. Tous les plaisirs sont mêlés de quelque souffrance, de même que les lois ne peuvent « subsister sans quelque mélange d'injustice », et l'homme aussi est une créature bigarrée.

II, 21 – Contre la fainéantise. Bien des empereurs romains ont estimé la fainéantise incompatible avec leur devoir de dirigeants : ils menaient eux-mêmes leurs batailles et mouraient debout.

II, 22 – Des postes. Dans ce bref chapitre, Montaigne envisage les divers moyens dont se sont servis les princes de l'Antiquité pour faire porter leur courrier.

II, 23 – Des mauvais moyens employés à bonne fin. Comme les individus, les États sont sujets aux maladies et au vieillissement ; ils se guérissent en se purgeant. La colonisation a ainsi offert aux Romains un débouché pour leur population trop nombreuse, et les guerres ont détourné les citoyens de l'oisiveté et des complots contre le pouvoir. La faiblesse de l'homme lui fait ainsi utiliser des mauvais moyens pour une bonne fin.

II, 24 – De la grandeur romaine. Les Romains avaient coutume de laisser leurs royaumes aux rois qu'ils avaient vaincus. Rien de tel chez les contemporains de Montaigne, dont il déplore le comportement.

II, 25 – De ne contrefaire le malade. À feindre d'être malades pour se délivrer d'une tâche, certains finissent par tomber vraiment malades.

---

1. Les protestants ne cessaient de réclamer la liberté de culte, et quand un édit la leur accordait (1562, 1570, 1576), les catholiques la remettaient en cause. Une véritable politique de tolérance religieuse ne s'établit en France qu'en 1598 (édit de Nantes).

II, 26 – Des pouces. À Rome, le public levait ou baissait les pouces pour signifier qu'il appréciait, ou non, les combattants dans l'arène. Bien d'autres coutumes attestent encore l'importance des pouces.

II, 27 – Couardise mère de la cruauté. La lâcheté a besoin de sang et caractérise le comportement des tyrans. Dans le succès des duels à son époque[1], Montaigne voit encore l'effet de la lâcheté alliée à la soif de sang. Il en réprouve à la fois le principe (ses contemporains s'affrontent en duel à la moindre peccadille) et la pratique (outre la vie des offensés, le duel met en jeu les tiers qui leur servent de témoins). Au lieu de se battre, comme autrefois, pour le bien public, on ne cherche aujourd'hui qu'à défendre ses intérêts. La cruauté engendre « la crainte d'une juste revanche, qui produit après une enfilure de nouvelles cruautés, pour les étouffer les unes par les autres ». Le chapitre s'achève sur des exemples de tyrans se complaisant à faire durer la mort qu'ils infligent, et de juges qui pratiquent la torture.

II, 28 – Toutes choses ont leur saison [Il y a un temps pour chaque chose]. Dans ce chapitre, Montaigne entend réserver un temps pour chaque âge : la jeunesse pour l'apprentissage, la vieillesse pour se défaire de ce que l'on possède.

II, 29 – De la vertu. Il importe de ne pas confondre un élan exceptionnel de l'âme avec son allure habituelle. Pour juger un homme, il faut plutôt considérer son comportement au jour le jour, car on peut se montrer courageux par choix, mais aussi par hasard.

II, 30 – D'un enfant monstrueux. Tel enfant qui présente des malformations est dit « monstrueux ». Mais peut-être l'ordre divin échappe-t-il aux hommes.

II, 31 – De la colère. On ne devrait pas admettre la colère d'un père quand il châtie son enfant. En effet, emportant hors de soi celui qu'elle anime, la colère rend injustes les châtiments qu'inflige le coléreux.

---

1. Malgré son interdiction par Henri II (1547), le duel pouvait être autorisé par certains hauts dignitaires.

Mais la fin du chapitre ajoute que, paradoxalement, exprimer sa colère en l'exagérant peut en guérir.

II, 32 – Défense de Sénèque* et de Plutarque*. Montaigne consacre ce chapitre à ces deux auteurs qu'il relit sans cesse (*cf.* II, 10). Il défend Sénèque contre les critiques de certains historiens. Il prend également le parti de Plutarque accusé de rapporter des récits invraisemblables : le courage peut en effet dépasser les bornes de la vraisemblance et de l'entendement humain.

II, 33 – L'histoire de Spurina. Si la raison doit tâcher de dominer la force des instincts, cela ne doit pas conduire à la haine de soi. Un jeune homme, nommé Spurina, se défigura parce qu'il craignait de succomber aux désirs que sa beauté excitait chez les autres. Il eût mieux agi en augmentant sa beauté physique par la beauté de sa conduite morale. Il y a plus de vertu dans la modération que dans l'excès.

II, 34 – Observations sur les moyens de faire la guerre de Jules César. Tout homme de guerre devrait prendre exemple sur César : de ses soldats il n'exigeait que la vaillance et il ne punissait que la désobéissance.

II, 35 – De trois bonnes femmes [femmes d'exception]**.** Alors que beaucoup se contentent de pleurer la mort d'un mari qu'elles n'ont pas su aimer de son vivant, quelques-unes (trois) ont poussé le courage jusqu'à accompagner leur mari dans la mort qu'il devait se donner.

II, 36 – Des plus excellents hommes. Ce chapitre classe au rang des hommes d'exception Homère, Alexandre le Conquérant et Épaminondas. Pauvre et aveugle, Homère est le premier poète. Sans modèle, il a su inventer un langage vigoureux. Alexandre le Grand s'est, quant à lui, rendu maître du monde en une demi-vie, puisqu'il est mort à trente-trois ans. Épaminondas, enfin, s'est gouverné selon la raison plus qu'il n'a recherché la gloire. De mœurs exemplaires, il restait humain devant l'ennemi.

II, 37 – De la ressemblance des enfants aux pères. Dans ce chapitre qui concluait la première édition des *Essais*, Montaigne revient sur l'élaboration de son livre, «ce fagotage de tant de diverses pièces», et sur son évolution parallèlement à son écriture :

« Je me suis envieilli de sept ou huit ans depuis que je commençai. » Il a été atteint par la maladie de la pierre, qui est un trait de « la ressemblance des enfants aux pères » puisqu'il l'a héritée de son père. Elle a changé quelque peu son existence en le mettant à l'épreuve et en l'acheminant vers la mort. Le chapitre propose alors un développement sur les médecins, dont les conceptions se contredisent et dont les prescriptions ne peuvent s'appliquer à tous. Mieux vaut, pour préserver sa santé, écouter les leçons de Nature qui « nous gouverne mieux qu'eux ».

LIVRE III

Dans ce troisième et dernier livre, les chapitres sont moins nombreux, mais beaucoup plus longs que dans les deux précédents. Devenu maire de Bordeaux, Montaigne va s'interroger davantage sur le problème des responsabilités politiques.

III, 1 – De l'utile et de l'honnête. Ce qui est politiquement efficace n'est pas forcément honnête[1] : « Le bien public requiert qu'on trahisse et qu'on mente et qu'on massacre. » C'est pourquoi Montaigne préfère se tenir éloigné des affaires publiques. En revanche, entre particuliers, l'honnêteté doit prévaloir. À la fin du chapitre, Montaigne revient cependant, avec l'exemple du vertueux Épaminondas, sur la nécessité d'une morale dans le domaine politique.

III, 2 – Du repentir. De la peinture de son cas particulier, Montaigne souhaite dégager une vérité morale qui a une valeur universelle. En effet, « chaque homme porte la forme entière de l'humaine condition ». Montaigne réfléchit ensuite à un problème moral : du fait que nul ne se connaît aussi bien que soi-même, c'est la conscience de chacun qui reconnaît les fautes commises. Le repentir, qui est désaveu de la volonté, ne peut concerner « les vices qui, par longue habitude, sont enracinés » en nous.

III, 3 – De trois commerces [relations avec autrui]. Montaigne sait apprécier la fréquentation des hommes honnêtes avec qui l'on peut

1. C'est une des idées majeures de Machiavel dans *Le Prince* (1513).

parler de tout et qui aiment également la vertu et le plaisir. Il se plaît encore en compagnie de jolies femmes, mais il a besoin de loyauté dans la relation amoureuse : il n'y a pas de vrai plaisir dans le calcul et le mensonge. Enfin, il aime les livres (II, 10), seul de ces trois «commerces» qui ne dépende pas d'autrui ou du hasard : ils sont le meilleur secours qu'on puisse trouver dans l'existence, ils distraient des tourments et réchauffent par leur seule présence.

III, 4 – De la diversion [art de détourner l'esprit]. Consoler est une tâche délicate : faut-il plaindre l'affligé, ou le détourner de sa tristesse? Faire diversion s'avère souvent une méthode efficace. D'infimes détails suffisent d'ailleurs à divertir l'esprit humain, essentiellement instable.

III, 5 – Sur des vers de Virgile. Ce chapitre est un exemple de diversion. Pour faire contrepoids à la tristesse qu'engendre en lui la vieillesse, Montaigne se livre aux souvenirs «de sa jeunesse passée», en particulier aux souvenirs amoureux. Il réfléchit à la fois à la poésie amoureuse et aux questions du mariage, de la jalousie, de la sexualité. On se marie souvent non par choix mais pour obéir aux usages. La sexualité n'a pas sa place dans le mariage, ni même dans le langage courant, au point que l'on n'ose évoquer l'acte naturel qui nous fait exister. Des relations entre hommes et femmes, Montaigne bannit la jalousie et la crainte d'être trompé. Il loue les femmes qui se laissent courtiser longtemps : la seule règle en amour, c'est de «savoir prendre son temps».

Montaigne compare alors le langage sur l'amour de deux poètes latins, Virgile et Lucrèce. De même que le jeu de la séduction augmente le plaisir amoureux, de même le style allusif, qui laisse rêver l'imagination, convient particulièrement à l'amour.

Montaigne aime l'amour, où le plaisir qu'il donne le comble autant que celui qu'il reçoit.

III, 6 – Des coches[1]**.** Du mal des transports, Montaigne passe aux divers moyens de locomotion. Des attelages dans lesquels défilaient certains empereurs à Rome, il glisse au luxe des fêtes impériales. La

---

1. Un coche était une grande diligence dans laquelle on voyageait.

splendeur n'est pas indispensable à la royauté. Seul est acceptable le luxe qui contribue à la défense et à l'embellissement du royaume. Sinon il offense le peuple. Un chef d'État ne possède pas la richesse de son pays ; il doit simplement l'administrer pour son peuple.

Montaigne envisage ensuite la splendeur de certaines villes du continent américain, du Mexique en particulier, et il condamne la colonisation. L'arrivée des Européens a signifié l'extermination des populations indigènes. Or, loin d'être barbares, les Indiens témoignent d'une forme de civilisation que Montaigne oppose à la cruauté des Européens. Leurs rois sont des modèles de courage, de magnificence et de dévouement à leurs sujets.

III, 7 – De l'incommodité de la grandeur. Après avoir affirmé sa préférence pour une vie sans éclat, Montaigne médite sur la difficulté de la tâche royale. Comment rester modéré alors qu'on détient une puissance absolue ? De plus, le respect qui est dû au roi lui vaut souvent l'hypocrisie de ses sujets.

III, 8 – De l'art de conférer [mener une conversation]**.** On s'instruit moins en imitant des modèles qu'en s'y opposant. C'est pourquoi la conversation, qui oppose deux interlocuteurs, semble à Montaigne un exercice très fructueux pour l'esprit. Elle incite à l'émulation, à condition qu'on ait un adversaire à sa mesure. Il faut dans la conversation chercher à atteindre la vérité plus qu'à avoir raison. Un débat suppose une écoute mutuelle et une égalité entre les interlocuteurs. C'est pourquoi l'exercice de la discussion est difficile aux princes, qui n'ont pas d'égaux, et qui ne doivent pas dévoiler leur incompétence ou leur faiblesse.

La lecture constitue une autre forme de conversation où l'on s'efforce de découvrir l'homme derrière l'auteur, ce que fait Montaigne à partir d'une page de Tacite.

III, 9 – De la vanité. Montaigne analyse ici les raisons qui poussent les hommes à voyager. C'est le goût du changement, le désir d'échapper aux tâches quotidiennes, publiques et privées. En voyageant, Montaigne peut ne penser qu'à lui-même car il se décharge des problèmes matériels et se délivre des désordres politiques de son pays. Cette dernière considération l'amène à souligner (I, 23) le danger de tout bouleversement : on ne réforme pas une société humaine sans renverser également les usages et les traditions qui la fondent. D'autre part, des changements brutaux engendrent la tyrannie (« Toutes grandes mutations ébranlent l'État et le désordonnent. ») d'autant qu'on supporte mieux un mal ancien qu'un mal récent.

Montaigne voyage pour le plaisir. Continuellement sollicité par le spectacle de choses inconnues et nouvelles, il s'arrête où il veut. Il se plaît à la variété des usages tout en essayant de les comprendre. Montaigne répond ensuite à une série d'objections imaginaires. Certes, voyager l'oblige à quitter sa femme, mais il la laisse alors libre de gouverner la maison, et l'absence ravive l'amour conjugal. Pourquoi, d'autre part, un homme âgé ne voyagerait-il pas? Il apprend d'autant plus qu'il a plus d'expérience. Et si le voyage est vain, la vie ne l'est-elle pas aussi? On peut également reprocher à son livre d'être vain. Il lui a pourtant été utile, en l'obligeant à plus de contrôle de lui-même.

III, 10 – De ménager sa volonté [ne pas trop exiger de sa volonté]. Ce chapitre s'enchaîne indirectement au précédent : aux devoirs envers autrui, Montaigne préfère ce qu'il se doit à lui-même. Peu désireux de s'engager politiquement et socialement, il souhaite méditer. On s'aliène dans la vie sociale en s'astreignant aux obligations mondaines. Or on doit « se prêter à autrui » et ne se donner qu'à soi-même.

Élu maire de Bordeaux, Montaigne s'est efforcé d'assumer sa charge, mais ne s'y est pas dévoué comme son père l'avait fait. Il a refusé de confondre sa vie privée avec ses occupations extérieures : « Le maire et Montaigne ont toujours été deux, d'une séparation bien claire. » Il convient de modérer ses engagements, de prendre des distances à l'égard de ses désirs : le jugement y gagne en discernement. Cela permet aussi à chacun d'analyser sa conduite, car le seul tribunal qui compte, c'est la conscience, non l'opinion des autres[1].

---

1. Montaigne s'était vu reprocher de n'être pas retourné à Bordeaux au moment de la peste de 1585. Mais plutôt que de se conduire en héros par goût du spectaculaire, il s'est contenté d'accomplir son devoir d'homme et de chef de famille.

III, 11 – Des boiteux. Les raisons véritables des choses échappent à l'esprit humain, qui ne perçoit que les fausses, si bien que des phénomènes incompréhensibles aux hommes sont qualifiés de miracles, et que les procès de sorcellerie se multiplient[1]. Les présumées sorcières paient de leur vie des certitudes trop aisément acquises. Aux magistrats chasseurs de sorcières, Montaigne réplique que personne n'est parvenu à « une clarté lumineuse et nette ». Réduit à des suppositions, on devrait donc se garder de condamner à mort les sorcières, et tâcher plutôt de les calmer. Mieux vaut douter, et laisser Dieu seul juger.

Montaigne passe alors aux erreurs communes à tous. On appelle souvent prodiges des faits dont on ne sait pas même s'ils sont réels. La rumeur publique prête ainsi aux boiteuses des compétences sexuelles exceptionnelles. Bien qu'elle n'ait jamais été vérifiée, cette rumeur s'est imprimée dans l'imagination, qui à son tour influe sur les sens. Il faut résister aux opinions reçues ou spontanées, et s'abstenir de juger.

III, 12 – De la physionomie. Les hommes suivent l'opinion commune plus qu'ils ne réfléchissent par eux-mêmes. Ils se laissent impressionner par l'artifice et désirent autre chose que ce qu'ils possèdent. Pourtant, il suffit de suivre la Nature pour bien vivre. Les paysans puisent ainsi en eux-mêmes la force d'affronter la mort, et, en la désignant, ils atténuent déjà leur souffrance au lieu de l'amplifier.

Montaigne évoque ensuite la monstruosité des guerres civiles : elles excitent l'ambition, la lâcheté, les pillages, et contaminent même les hommes de bien. Comment ces guerres peuvent-elles alors prétendre servir le vrai Dieu ? Montaigne revient alors à l'exemple des paysans et des gens du peuple, dont il a pu admirer le courage à affronter une épidémie de peste : la Nature les a mieux instruits que la science.

---

1. Sous l'influence des guerres civiles et de la misère, une recrudescence de la sorcellerie a marqué la seconde moitié du XVIe siècle.

C'est la Nature qu'il faut encore écouter pour se préparer à la mort, ou plus exactement pour comprendre que la mort ne mérite pas qu'on pense constamment à elle. Elle n'est après tout que le « bout de la vie ». Sachons donc vivre selon la Nature, au lieu d'aspirer à la perfection.

En fin de chapitre, Montaigne s'intéresse au sujet qui lui a fourni son titre, la physionomie. Elle ne révèle pas toujours l'être : la laideur de Socrate cachait une grande beauté morale.

III, 13 – De l'expérience. Dans ce dernier chapitre, Montaigne revient sur la méthode à suivre dans la recherche de la vérité. À la connaissance acquise par les livres, il oppose l'expérience vécue. Pour comprendre le réel, la science formule des règles. Mais la Nature ne se laisse pas enfermer dans des règles. Ainsi, dans le domaine juridique, il y a tant de cas particuliers qu'il faudrait presque une loi par cas. Mieux vaut donc se laisser guider par l'expérience.

De même, pour se connaître, il faut s'examiner au jour le jour. Sans honte aucune, Montaigne présente sa façon de vivre. Il s'est préservé en bonne santé grâce à une hygiène de vie bien préférable aux soins des médecins : comment ceux-ci pourraient-ils guérir, avec les mêmes remèdes, des hommes si divers ? Ici encore, la science échoue devant la complexité de la réalité. Il faut savoir laisser faire la Nature, et aussi accepter la souffrance comme la vieillesse. Ces maux font apprécier les plaisirs de la vie et nous préparent à la mort en douceur. Sachons donc nous réjouir que la Nature ait rendu voluptueux les actes nécessaires à la vie, comme de manger, boire et faire l'amour. Quand il suit la Nature, l'être s'épanouit parce que l'âme peut participer à la joie du corps. L'esprit accroît en effet le plaisir physique en en prenant conscience ; de son côté, le corps rappelle à l'esprit l'existence du réel et l'empêche de divaguer. Montaigne conclut ainsi les *Essais* par un hymne à la vie et à la maîtrise de soi. La sagesse ne consiste pas à chercher à s'élever, mais à savoir se modérer.

Les *Essais* dans la vie de Montaigne

ENFANCE ET JEUNESSE

Michel de Montaigne naît le 28 février 1533 au château de Montaigne, près de Bordeaux. Fils aîné de Pierre Eyquem et d'Antoinette de Louppes, il est d'une famille de riches négociants bordelais anoblis[1] : son aïeul Ramon Eyquem a acheté la terre de Montaigne en 1477.

L'enfance de Montaigne a été très marquée par la personnalité de son père, humaniste[2] ouvert aux idées nouvelles, excellent administrateur[3] et magistrat très consciencieux. Montaigne reçoit une éducation libérale. Élevé parmi les paysans, il s'attache aux gens humbles. Il a pour précepteur un savant allemand avec lequel il s'entretient en latin, comme avec la maisonnée et il ne parlera le français qu'à l'âge de six ans. À partir de 1540, il étudie au collège de Guyenne, à Bordeaux.

LA MAGISTRATURE (1554-1570)

Après des études de droit, Montaigne devient conseiller à la Cour des aides[4] de Périgueux en 1554, puis conseiller au parlement[5] de Bordeaux en 1557. C'est là qu'en 1558 il fait la connaissance d'Étienne de La Boétie, qui mourra en 1563. Cette amitié marquera

1. La possession de terres, ou l'exercice de fonctions administratives ou judiciaires, permettaient d'acheter des lettres d'anoblissement.
2. L'humaniste, au XVIe siècle, cherche, à partir de la redécouverte de la sagesse antique, à faire progresser l'homme.
3. Il fut élu maire de Bordeaux en 1554.
4. Cette cour de justice jugeait les affaires fiscales.
5. Ces cours de justice (il y en avait huit au XVIe siècle) exerçaient une activité d'administration, de police et de justice.

profondément Montaigne. En 1565, il épouse Françoise de La Chassaigne dont il aura six filles (une seule, Léonor, survivra).

En 1568, son père meurt. Montaigne hérite de la terre de Montaigne. Selon le souhait de son père, il publie en 1569 une traduction de la *Théologie naturelle* de Raymond Sebond, théologien espagnol. En 1570, il se rend à Paris pour y publier les œuvres de La Boétie.

LA « RETRAITE » ET L'ÉCRITURE DES *ESSAIS* (1570-1580)

En 1571, «dégoûté depuis longtemps déjà de l'esclavage du Parlement et des charges publiques[1] », Montaigne, qui a trente-huit ans, vend sa charge[2] de conseiller et se retire sur ses terres pour se consacrer à l'étude et à la réflexion. Lecteur assidu de Sénèque* et Plutarque*, il commence à travailler au livre qui deviendra les *Essais*.

À la demande de la Cour, Montaigne s'engage, en 1574, dans une des armées catholiques. Puis il est chargé d'une mission diplomatique auprès du parlement de Bordeaux. Montaigne est au cœur du conflit : catholique, il est attaché au roi Henri III, mais il habite une région protestante, la Guyenne, gouvernée[3] par Henri de Navarre. Par sa famille aussi, il a des liens avec les deux camps.

En 1577, il ressent les premières atteintes de la gravelle, ou maladie de la pierre[4]. Montaigne trouve le titre de l'œuvre de sa vie : les *Essais*. Il lit César, Plutarque et Sénèque encore, Platon, les poètes latins Lucrèce, Virgile, Horace. En 1580, les deux premiers livres des *Essais* paraissent à Bordeaux chez Sébastien Millanges.

1. Il fit peindre cette phrase en latin sur les murs de sa «librairie».
2. Depuis Louis XII, l'État vendait des offices (on les appelait vénaux) permettant d'exercer des fonctions publiques.
3. À l'époque de Henri III, on compte en France douze gouverneurs (un par province), dont les pouvoirs et l'indépendance échappent quelque peu au contrôle royal.
4. Formation de calculs rénaux qui provoquent de très vives douleurs en se bloquant dans les voies urinaires (coliques néphrétiques).

LES VOYAGES ET LA VIE PUBLIQUE (1580-1585)

En 1580, souffrant de la gravelle, Montaigne décide de partir se soigner par des cures thermales en France, en Allemagne et en Italie. Il souhaite aussi (surtout ?) se distraire et s'instruire. Il passe par Paris où il présente ses *Essais* au roi Henri III, s'arrête à Plombières, Baden, Munich ; il séjourne également à Rome et à Lucques. Montaigne dicte et écrit en français, puis en italien, son *Journal de voyage* (édité en 1774) ; il s'attache aux petits faits de la vie quotidienne en Italie, plus d'ailleurs qu'aux splendeurs des monuments. C'est en Italie, en septembre 1581, que Montaigne apprend qu'il a été élu maire de Bordeaux. Sur l'instance de Henri III, il accepte ce mandat.

Après deux années calmes à la mairie de Bordeaux, en 1583, il est réélu et se trouve alors confronté à de nombreuses difficultés. Il joue une nouvelle fois un rôle de médiateur entre le futur Henri IV (Henri de Navarre) et le maréchal de Matignon qui représente le roi Henri III. En 1585, il contrecarre en particulier une offensive sur Bordeaux de la Ligue, association de catholiques qui combat les protestants.

LE TROISIÈME « ALLONGEAIL » DES *ESSAIS* ET LES DERNIÈRES ANNÉES (1586-1592)

Rentré dans son domaine, Montaigne multiplie les ajouts aux deux premiers livres des *Essais* et en écrit un troisième. La nouvelle édition des *Essais* paraît à Paris en 1588 chez Abel L'Angelier. Lors de son séjour, il est emprisonné quelques heures à la Bastille par les Ligueurs, au cours des troubles qui suivent la journée des Barricades. Il y fait aussi la connaissance de Marie le Jars de Gournay, qui deviendra sa « fille d'alliance ».

Montaigne passe les dernières années de sa vie à enrichir et remanier les *Essais*. À sa mort, le 13 septembre 1592, il laisse un exemplaire de son œuvre couvert d'additions manuscrites, que l'on appelle l'« Exemplaire de Bordeaux ». Marie de Gournay tiendra compte de ces ajouts pour publier une réédition des *Essais* en 1595.

Le contexte historique et culturel des *Essais*

Montaigne naît un an avant l'affaire des Placards, affiches de propositions des évangéliques contre la messe (1534). Cette affaire amène le roi François Ier, qui ne veut pas se brouiller avec le pape, à prendre des mesures d'exil contre les évangéliques (Marot, par exemple), amis de sa sœur Marguerite de Navarre, que jusqu'alors il avait soutenus. Une véritable lutte religieuse commence. Depuis le début du XVIe siècle, le protestantisme a fait de nombreux adeptes, y compris chez les nobles, dans une France majoritairement catholique. Or, quand François II devient roi, en 1559, la puissante famille catholique des Guises[1], parents de sa femme Marie Stuart, arrive au pouvoir avec lui. Les persécutions contre les protestants s'organisent.

En 1560, François II meurt. Son frère Charles IX lui succède, mais il n'a que dix ans; c'est donc sa mère, Catherine de Médicis, qui va gouverner. Sa politique de tolérance aboutit à l'édit de janvier 1562, qui autorise les protestants à célébrer leur culte. François de Guise enfreint cet édit : arrivant à Wassy en mars 1562, il fait massacrer les protestants qui sortent de leur lieu de culte. C'est le début des guerres de Religion[2].

---

1. Henri de Guise et le duc de Mayenne, enfants de François de Guise, oncle de Marie Stuart, prétendront au trône de France.
2. Parmi les protestants, on compte le roi de Navarre Antoine de Bourbon (père du futur Henri IV), son frère le prince de Condé et l'amiral de Coligny. Du côté catholique, se trouvent le connétable de Montmorency et les Guises, soutenus par l'Espagne.

DE LA PREMIÈRE GUERRE DE RELIGION (1562) À LA SAINT-BARTHÉLEMY (24 AOÛT 1572)

Trois guerres civiles se succèdent de 1562 (bataille de Dreux) à 1572. En 1572, Catherine de Médicis marie sa fille Marguerite de Valois à son neveu Henri de Navarre (le futur Henri IV), protestant, qu'elle espère ainsi se concilier. Mais craignant l'influence sur le roi Charles IX de l'amiral de Coligny, protestant, la régente s'allie aux Guises pour l'éliminer avec les principaux chefs protestants, venus à Paris assister au mariage de Henri de Navarre. C'est le massacre de la Saint-Barthélemy (24 août 1572[1]), qui fait quinze mille victimes.

DE LA SAINT-BARTHÉLEMY À LA CRISE DYNASTIQUE (1572-1584)

Quatre guerres s'ensuivent alors. Les protestants constituent une sorte d'État séparé : ils ont leurs troupes et se soulèvent contre le roi. Ils tiennent certaines régions, comme la Normandie et le Sud-Ouest tandis que la Bretagne, le Centre et la Lorraine sont catholiques.

En 1574, le frère de Charles IX, Henri III, devient roi. Il essaie de restaurer l'unité en faisant des concessions aux protestants. Les catholiques ultras s'associent sous la direction de Henri de Guise et constituent la Sainte Ligue, pour combattre les protestants et limiter le pouvoir royal trop favorable aux protestants selon elle.

En 1584, la mort du jeune frère de Henri III, François d'Anjou, qui devait succéder au roi, plonge la France dans une crise dynastique. Le protestant Henri de Navarre, cousin du roi, devient en effet l'héritier de la couronne. Mais la Ligue veut à tout prix empêcher l'arrivée sur le trône d'un hérétique relaps[2] et imposer Henri de Guise.

1. Montaigne choisit de se taire sur ce jour maudit.
2. Converti au catholicisme pour épouser Marguerite de Valois, Henri de Navarre était revenu au protestantisme après le massacre de la Saint-Barthélemy

DE LA MORT D'ANJOU AU SACRE DE HENRI IV (1584-1594)

Grâce aux prédicateurs ligueurs, Henri de Guise est très populaire à Paris. Le 12 mai 1588, il vient dans la capitale, qui se révolte contre Henri III, obligé de fuir à Chartres : c'est la journée des Barricades que Montaigne a vécue, puisqu'il se trouve alors à Paris et qu'il est emprisonné quelque temps. Henri III fait assassiner son rival, Henri de Guise, à Blois (23 décembre 1588). Il se rapproche de Henri de Navarre, afin de lutter contre la Ligue et de regagner Paris. Mais Henri III est assassiné par la Ligue le 1er août 1589.

Henri de Navarre accède au trône sous le nom de Henri IV (1589), mais les Ligueurs refusent de le reconnaître comme roi. Henri IV assiège longtemps Paris et remporte en province (à Arques, à Ivry) des batailles décisives contre les Ligueurs. Il lui faut encore abjurer le protestantisme en 1593 (d'où le célèbre mot que l'on prête à Henri IV : « Paris vaut bien une messe. »). Il finit par rallier tous les suffrages en s'opposant au roi d'Espagne qui veut imposer sa fille sur le trône de France. Les Ligueurs se soumettent et les Espagnols se résignent. Henri IV est sacré roi le 27 février 1594.

UNE PÉRIODE INTENSÉMENT CRÉATRICE

Ces troubles n'ont pas tari la créativité des artistes. La Renaissance se caractérise par une recherche esthétique dont témoigne l'essor des beaux arts (Léonard de Vinci, Michel-Ange). Elle est aussi marquée par un hymne à la nature et aux grandes forces de vie, que l'on rencontre chez Rabelais et Ronsard. L'esprit critique qui anime les humanistes en fait enfin des hommes pleinement engagés dans les questions politiques et religieuses de leur temps, comme Calvin, Agrippa d'Aubigné ou Montaigne.

PREMIÈRE PARTIE

Problématiques essentielles

1 Les *Essais* : la naissance d'un genre

L'ESSAI SELON MONTAIGNE

Une expérimentation

Au XVIe siècle, l'essai signifie d'abord l'expérience ou l'expérimentation. Les « essais » de Montaigne sont ses expériences de tous ordres, consignées dans un livre qui se veut sincère : « Toute cette fricassée que je barbouille ici n'est qu'un registre des essais de ma vie » (III, 13). Sans jamais prétendre imposer une leçon, Montaigne exerce son jugement sur tout ce qui se présente à sa réflexion.

En désignant ainsi, et le premier, son livre, Montaigne invente une forme correspondant à l'originalité de son projet :

> Les auteurs se communiquent au peuple par quelque marque particulière et étrangère; moi, le premier, par mon être universel, comme Michel de Montaigne, non comme grammairien, ou poète, ou jurisconsulte. (III, 2)

Pour se découvrir soi-même, Montaigne a besoin de la liberté d'une expression dénuée de rhétorique : « Je peins principalement mes cogitations, sujet informe, qui ne peut tomber en production ouvragère » (II, 6).

Un dialogue

Attentif aux émois de son corps, Montaigne ne se replie pourtant pas dans l'introspection; il sait prêter l'oreille aux autres, aux jugements, aux préjugés et aux coutumes. Si bien que l'essai constitue une sorte d'équivalent écrit du dialogue.

Un dialogue avec l'autre

Montaigne dialogue bien sûr avec le lecteur, comme le montrent les nombreuses apostrophes où il lui fait appel dès l'« Avis au lecteur » : « C'est ici un livre de bonne foi, lecteur. » Il dialogue aussi avec les Anciens, dont il fait intervenir la pensée sous la forme des nombreuses citations qui émaillent le texte des *Essais*. Montaigne commente ces citations (III, 5), il complète ceux qu'il cite : « Et serait meilleur de dire à Solon [...] » (I, 3), ou il les contredit : « À mon avis, c'est le vivre heureusement, non, comme disait Antisthène, le mourir heureusement, qui fait l'humaine félicité » (III, 2). Les auteurs qu'il mentionne n'interviennent pas dans les *Essais* pour garantir une vérité, mais pour permettre à Montaigne d'exprimer sa pensée.

On peut penser que la mort de La Boétie, « l'ami » de Montaigne, a rendu nécessaire ce livre qui prend la place du dialogue devenu impossible avec l'absent :

> C'est une humeur mélancolique, [...] très ennemie de ma complexion naturelle, produite par le chagrin de la solitude en laquelle il y a quelques années, je m'étais jeté, qui m'a mis premièrement en tête de me mêler d'écrire. (II, 8)

Le chapitre « De la vanité » (III, 9) se présente pour une part comme une réponse à un interlocuteur stoïcien reprochant à l'auteur son besoin de voyager, puisque, où que l'on aille, on s'emporte avec soi[1]. À cette objection, Montaigne répond que la vue d'autres hommes et d'autres mœurs a l'avantage de nous distraire de nous-mêmes.

Un dialogue avec soi

Enfin s'il converse avec la pensée des autres, Montaigne dialogue aussi (et peut-être surtout) avec lui-même. Il se relit au fur et à mesure des rééditions et reprend sans cesse ce qu'il a écrit : « J'ajoute, mais je ne corrige pas[2] » (III, 9). Cette lecture correctrice montre que la recherche menée n'est jamais achevée.

---

1. C'est l'argumentation de Sénèque.
2. On compte ainsi 624 additions au livre I, 931 au livre II et 495 au livre III.

En témoigne par exemple la fin du chapitre « De la conscience » (II, 5) où les relectures et les additions signifient une évolution de la pensée. En 1580, Montaigne concédait que la torture était un mal inévitable de l'instruction judiciaire : « Mais tant y a que c'est le moins mal que l'humaine faiblesse ait pu inventer... ». Plus tard (sur l'« Exemplaire de Bordeaux »), il ajoute l'incise « ... c'est, dit-on » et il prend des distances par rapport à cette concession qui apparaît désormais comme une objection à laquelle Montaigne répond ensuite : « bien inhumainement [...] à mon avis. » En se corrigeant, Montaigne récuse l'idée que la torture serait l'invention la moins mauvaise qui soit pour découvrir la vérité.

La fonction critique des *Essais*

À l'origine, les *Essais* sont faits de notes de lecture : Montaigne lit César ou Plutarque*, et il note ce qui retient son attention. Ce qui l'intéresse, c'est de se situer par rapport aux Anciens, de se connaître et de s'exprimer. Mais dès les premiers chapitres, il pervertit la tradition des lectures commentées qui développent par des exemples la pensée des Anciens. Il insiste en effet sur le caractère contestable de ce qu'il cite en montrant qu'à tout énoncé, on peut opposer son contraire.

Montaigne relève surtout des exemples historiques ou philosophiques qui le laissent perplexe ou qui lui révèlent quelque chose sur la mort, le fonctionnement de l'imagination, les diverses formes de courage. Les trois livres des *Essais* sont enregistrement de toutes les expériences de la connaissance : la lecture, mais aussi toutes les représentations du monde qui s'offrent à Montaigne.

D'abord courts, les chapitres des *Essais* s'allongent :

> Parce que la coupure si fréquente des chapitres, de quoi j'usai au commencement, m'a semblé rompre l'attention, [...] je me suis mis à les faire plus longs. (III, 9)

Montaigne requiert de son lecteur une attention portée à ses développements personnels qui occupent plus d'espace, tandis que la place prise par la pensée des auteurs anciens se réduit et que, petit à petit, les citations (c'est-à-dire la présence des livres lus) devien nent moins nombreuses.

UNE COMPOSITION « À SAUTS ET À GAMBADES[1] »

Il y a un désordre structurel des *Essais,* qui tient au projet même de Montaigne : «Je peins principalement mes cogitations, sujet informe» (II, 6). Il propose l'accumulation des questions qui l'ont intéressé dans un désordre et une diversité qui ressemblent à ceux de la réalité même.

Le désordre de la structure

C'est ce dont rendent compte la multiplicité et parfois même l'entassement[2] «sans ordre et sans dessein» de chapitres aux titres disparates et qui abolit toute hiérarchie entre les sujets : «Des armes des Parthes», «Des pouces», «De l'usage de se vêtir». Loin de présenter une construction synthétique, Montaigne les écrit au gré de son humeur, et la succession de ses chapitres ne suit pas la chronologie de leur rédaction. Au fil des relectures et des rééditions, des ajouts viennent enrichir la version originale, tout en brisant parfois la lecture.

Les chapitres eux-mêmes ne laissent pas toujours apparaître le plan qui a présidé à leur composition, et le titre que Montaigne leur donne n'annonce parfois qu'un des sujets traités. C'est le cas du chapitre «Des coches», qui dérive des moyens de transport au problème de la colonisation. De même, le chapitre «Des boiteux» traite surtout des procès de sorcellerie et des préjugés des hommes.

Ce désordre tient à la liberté avec laquelle Montaigne accueille de nouveaux exemples ou laisse prendre à son discours de nouvelles directions dans un mouvement centrifuge qui a une explication philosophique : il s'agit de préférer la vision concrète du détail aux

1. (III, 9) Montaigne désigne par là une allure libre et qui suit l'impulsion du moment.
2. «À même [à mesure] que mes rêveries se présentent, je les entasse» (II, 10).

vastes constructions synthétiques. Souvent encore, Montaigne ne traite pas à fond tous les sujets qu'il se propose d'aborder : c'est qu'il est conscient de ne pouvoir le faire (I, 50). Il préfère aborder les questions sans aller plus avant : « Je n'ai composition ni explication qui vaille. » (I, 21). D'autre part, il évite d'expliquer comment il passe d'un sujet à un autre. À ceux qui lui reprocheraient sa composition par digression et glissement d'un sujet à l'autre, « à sauts et à gambades », Montaigne répond que l'objet même de son livre en détermine la manière; les *Essais* suivent ainsi les fluctuations de sa pensée et de ses sentiments, et le « hasard » du style devient la garantie même de sa sincérité . « je ne peins pas l'être, je peins le passage » (III, 2).

Un ordre caché

Cependant, il ne faut pas se laisser abuser par ce qui semble désordre; Montaigne nous en avertit : « c'est l'indiligent [qui manque de soin] lecteur qui perd mon sujet, non pas moi » (III, 9). Le chapitre « De la vanité » (III, 9) semble passer sans raison d'un sujet à l'autre. Une lecture plus soigneuse révèle qu'il développe et décline l'idée qui lui fournit son titre : la vanité. Montaigne part de celle qu'il y a à écrire sur soi, puis il passe à l'inanité qui caractérise l'être humain. S'attardant sur les guerres de son époque, qui lui font envisager la mort, il réfléchit aussi aux dangers de l'innovation en matière politique. C'est pour échapper à ces troubles qu'il a voulu quitter son pays et voyager, mais aussi pour s'éloigner des tracasseries domestiques. Outre ces raisons négatives, le goût de Montaigne pour les voyages s'explique encore par le goût de la diversité et le sentiment d'être citoyen « du monde ». Le chapitre se clôt sur ce qui est à la fois un souvenir de voyage et un aveu de vanité puisque Montaigne exhibe le certificat qui l'a fait citoyen romain.

2 Une forme biographique : l'autoportrait

Les *Essais* sont recherche et découverte de soi : «Je veux qu'on m'y voie en ma façon simple, naturelle et ordinaire, sans contention [effort] ni artifice : car c'est moi que je peins» (Avis au lecteur). Une telle écriture se rapproche de l'autobiographie : le livre se trouve destiné «à la commodité particulière de [ses] parents et amis» pour qu'après sa mort, ils puissent retrouver le Montaigne qu'ils ont connu.

SE PEINDRE SOI-MÊME

Un portrait physique, intellectuel et moral

Le chapitre «De la présomption» (II, 17) offre le premier portrait physique de Montaigne : «d'une taille un peu au-dessous de la moyenne», il a le visage rond, et un tempérament «entre le jovial et le mélancolique». Ce portrait est précisé plus loin (III, 12) : il aime manger, dormir, et il monte volontiers à cheval. On le voit : la description physique tient moins de place dans les *Essais* que l'enregistrement des expériences de Montaigne, de ses lectures comme de ses rencontres. Les souvenirs affleurent parfois mais sous la forme de fragments qu'il incombe au lecteur d'assembler : c'est ainsi que, dans le chapitre I, 26 où il traite de l'«institution des enfants», Montaigne évoque sa propre éducation et le précepteur allemand que son père lui a choisi.

Intellectuellement, Montaigne est un humaniste : il parle et lit couramment le latin et l'italien, connaît très bien les auteurs de l'Antiquité, mais il refuse un savoir exclusivement livresque (qu'il considère comme pédant) ; il rejette aussi la spécialisation qui ferme l'esprit à la complexité de la vie. Son existence même traduit son indépendance d'esprit : Montaigne s'est soustrait à la tutelle des grands et des rois[1], à l'administration de ses terres et à une carrière de magistrat. Il leur préfère la vie simple mais libre d'un noble de province : « Il faut se prêter à autrui et ne se donner qu'à soi-même » (III, 10). Quoique peu sujet aux passions, il aime l'amour, hait la cruauté, la lâcheté et le mensonge.

Bien que Montaigne fasse surtout son portrait moral et intellectuel, il ne sépare pas le corps et l'âme. Il a pris conscience que sa réflexion était influencée par la douleur ou le plaisir qu'il ressentait. C'est pourquoi il fait une place aux menus événements de la vie quotidienne, comme en témoignent les confidences auxquelles il s'abandonne dans les deux derniers chapitres (III, 12 et 13) : « Plaisante fantaisie : plusieurs choses que je ne voudrais dire à personne, je les dis au peuple [au public]... » (III, 12).

Culte du moi ?

Dans les *Essais,* Montaigne n'a pas pour objectif de se défendre ou de se glorifier, pas plus qu'il n'a d'intention moralisante. Lecteur de Montaigne au XVIIe siècle, Pascal a vu pur narcissisme[2] dans son entreprise d'autoportrait : « Le sot projet qu'il a eu de se peindre » (*Pensées*[3]). Montaigne a conscience de l'orgueil qui entre dans son projet[4] (II, 17) : dans les récits qu'il fait de ses activités (III, 12 et 13), de ses voyages (III, 9), de son accident de cheval (II, 6), il est souvent le seul personnage en scène. Même quand il ne se décrit pas, il s'exprime avec fermeté sur des questions comme la colonisation, la

1. Il déclina l'offre de Henri IV qui l'appelait auprès de lui en 1590.

2. Narcisse aimait tant se regarder dans l'eau d'une rivière qu'il s'y noya en voulant embrasser son reflet.

3. Voltaire contredira Pascal au XVIIIe siècle : « Le charmant projet que Montaigne a eu de se peindre naïvement, comme il l'a fait. Car il a peint la nature humaine » (*Lettres philosophiques*). On appelle « intertextualité » les relations entre un texte et les écrivains qui s'y réfèrent.

4. Mais cet orgueil n'a rien à voir avec celui de Jean-Jacques Rousseau écrivant *Les Confessions* au XVIIIe siècle et insistant sur le caractère unique de son projet (en préjugeant même des entreprises à venir) : « Je forme une entreprise qui n'eut jamais d'exemple, et dont l'exécution n'aura point d'imitateur. »

cruauté, la chasse, pour ne citer que quelques exemples. Rejetant les préjugés de son temps, il prend position en se référant à sa seule sensibilité et à son esprit critique : « J'ai une âme toute sienne [indépendante], accoutumée à se conduire à sa mode » [à sa façon] (II, 17).

Un regard critique

Cela ne signifie pas pour autant que Montaigne se complaise à se regarder. D'abord, parce qu'il pose sur lui-même un regard sans complaisance[1] (il manque de mémoire, d'adresse). D'autre part, il tait tout ce qui pourrait contribuer à sa gloire, comme les distinctions qu'il a reçues[2], les marques de confiance qu'on lui a témoignées, ou les actions humanitaires qu'il a proposées : entre autres exemples, les *Essais* ne disent pas un mot de sa requête au roi Henri III pour demander la gratuité de la justice (août 1583).

Plus qu'à exalter sa personnalité, Montaigne cherche à bien vivre et à acquérir une forme de sagesse. Il démystifie les préjugés et considère les occupations des hommes comme des rôles dans la comédie sociale, à ne pas confondre avec leur être véritable. Montaigne apprend aussi à faire confiance à la nature et à s'accepter, au lieu de chercher à dépasser sa condition : « C'est une absolue perfection, et comme divine, de savoir jouir loyalement de son être » (III, 13), c'est-à-dire de vivre pleinement en paix avec soi-même, en s'observant et en appréciant tous les moments.

Les difficultés de l'autoportrait

Loin de servir le culte du moi, l'écriture est pour Montaigne un moyen de se connaître : « Je suis moi-même la matière de mon livre » (Avis au lecteur). Il évoque ainsi son tempérament, ses sentiments, ses idées sans modestie excessive, mais sans forfanterie non plus : « Ce sont ici mes humeurs et opinions [...] Je ne vise qu'à me découvrir moi-même » (I, 26).

---

1. Qu'on ne retrouve pas chez Rousseau : annonçant la sensibilité romantique, il se présente comme un être exceptionnel et, se « confessant », ne cesse de se justifier.
2. Sauf le titre de citoyen romain, qu'il mentionne avec fierté. Mais c'est à la fin du chapitre III, 9, consacré à la « vanité »...

La difficulté de l'entreprise ne tient pas, aux yeux de Montaigne, à la sincérité. Son âge avancé, sa position sociale, son indépendance lui permettent de parler sans masque ni fard et de se peindre « tout entier et tout nu » (Avis au lecteur). Se peindre, c'est prendre pour objet d'écriture le sujet le plus facile à connaître :

> Au moins j'ai ceci selon la discipline [conformément aux lois de la science] que jamais homme ne traita sujet qu'il entendit ni connut mieux que je fais celui que j'ai entrepris, et qu'en celui-là je suis le plus savant homme qui vive. (III, 2)

La difficulté se situe plutôt dans l'inconstance du sujet décrit : « Je n'ai rien à dire de moi, entièrement, simplement, et solidement, sans confusion et sans mélange, ni en un mot » (II, 1 « De l'inconstance de nos actions »). Au lieu de vouloir donner de lui-même une image définitive, Montaigne cherche à se saisir dans son mouvement ·

> C'est une épineuse entreprise [...] de suivre une allure si vagabonde que celle de notre esprit; de pénétrer les profondeurs opaques de ses replis internes (II, 6).

UN DÉPASSEMENT DU BIOGRAPHIQUE

Un portrait de l'homme en général

On observe, dans cette citation, que Montaigne utilise comme indifféremment deux types d'adjectifs possessifs : le singulier (« ses replis ») et le pluriel (« notre esprit »). C'est dire que son projet dépasse la peinture d'un individu centré sur lui-même. Il s'observe comme un simple échantillon d'humanité : « Chaque homme porte en soi la forme entière de l'humaine condition » (III, 2). Tous les faits humains l'intéressent, les mœurs, les genres de vie, tout ce que disent ou font les hommes, le plus absurde comme le plus sensé. Car l'insignifiant, le détail imperceptible et fugace en dit plus sur l'homme que ses côtés remarquables. L'expérience vécue et quotidienne est la seule façon de se connaître véritablement : tout événement particulier de sa vie (sa rencontre avec La Boétie, I, 28; son accident de cheval, II, 6) le conduit ainsi à s'interroger sur la communication avec autrui, ou sur la mort.

L'ouverture à l'autre

En même temps, Montaigne découvre que la connaissance de soi permet de mieux comprendre les autres : « Cette longue attention que j'emploie à me considérer me dresse à juger aussi passablement [assez bien] des autres » (III, 13). Son expérience personnelle l'amène à réfléchir sur les problèmes religieux, politiques et sociaux de son époque : il prend parti contre la torture (II, 5), juge les armées quand il les voit se livrer à des actes répréhensibles, s'interroge sur l'engagement d'un individu dans la vie politique (III, 10). Le lecteur des *Essais* se trouve donc confronté à Michel de Montaigne, mais aussi à l'homme en général. Montaigne annonçait à son lecteur que son livre traitait d'un sujet « si frivole et si vain » (Avis au lecteur) ; il a finalement su lui tendre un miroir de lui-même.

Une écriture ouverte

Les *Essais,* dont l'écriture s'étend de 1571 à 1592, montrent clairement l'évolution de leur auteur : « Je me suis envieilli de sept ou huit ans depuis que je commençai » (II, 37, édition de 1595). Montaigne conclut d'ailleurs chacun de ses trois livres par une réflexion sur l'âge : « De l'âge » (I, 57), « De la ressemblance des enfants aux pères » (II, 37), et « De l'expérience » (III, 13). On peut penser que les *Essais* constituent une forme de diversion face à la hantise du temps.

Affronter le temps

Car pour Montaigne le vieillissement ne s'accompagne d'aucun progrès : après trente-cinq ans, les facultés physiques et intellectuelles déclinent (I, 57). De façon générale, les termes par lesquels il qualifie la vieillesse sont très péjoratifs : « Notre esprit se constipe et croupit en vieillissant » (III, 12) et la vieillesse « nous attache plus de rides en l'esprit qu'au visage ». Décrépitude, impuissance (II, 8), la vieillesse est enfin le temps d'un repentir que Montaigne refuse pour lui préférer, sans hésitation, les péchés commis dans la jeunesse (III, 2).

Il espérait que chez «ceux qui emploient bien le temps», la sagesse augmenterait avec l'âge (I, 57). Cela aurait contrebalancé la perte de vivacité. Mais le vieillissement du corps atteint forcément l'âme, et Montaigne le déplore comme une réduction de son existence : «Ce que je serai dorénavant, ce ne sera plus qu'un demi-être[1]» (II, 17). Petit à petit, la vieillesse dérobe aux hommes leurs forces vitales (III, 4) et les achemine à la mort. Tout l'effort de Montaigne consiste à résister au déclin, en tirant profit de la liberté que confère l'âge. Il s'autorise ainsi à parler librement de l'amour et du désir, au chapitre «Sur des vers de Virgile» (III, 5). Plus il avance en âge, plus il cherche à vivre intensément tous les instants qui lui sont donnés. Les apprécier et les redoubler en les décrivant, voilà qui permet de compenser la fuite du temps (III, 13).

Un livre «consubstantiel à son auteur»

Enfin, le fait même d'écrire un livre sur soi en cherchant à se faire comprendre a contraint l'écrivain à une certaine stabilité. L'analyse a façonné le moi, et le livre lui a permis de se construire autant que de se décrire. L'effort d'authenticité et la tension de l'écriture pour saisir le moi lui ont permis de mieux se dessiner et l'ont contraint à une certaine fidélité à soi-même : «Me peignant pour autrui, je me suis peint en moi de couleurs plus nettes que n'étaient les miennes premières» (II, 18). La méthode de connaissance (l'écriture) a modifié son objet : «Je n'ai pas plus fait mon livre que mon livre ne m'a fait, livre consubstantiel à son auteur» (II, 18).

---

1. Il a environ quarante-six ans quand il rédige ce chapitre.

3 Montaigne et l'humanisme

L'humanisme est un mouvement littéraire qui se caractérise par le réveil de l'esprit critique, par le retour aux textes originaux des Anciens et par le désir de connaître l'Antiquité telle qu'elle fut réellement.

LA CONNAISSANCE DES ANCIENS

Historiquement, ce mouvement intellectuel s'explique, entre autres, par les progrès de l'imprimerie et par l'exode de nombreux savants grecs, chassés de Constantinople par les Turcs (qui ont conquis la ville en 1453) et réfugiés en Italie où ils ont entrepris d'enseigner leur langue, le grec. Les humanistes s'attachent à retrouver les textes anciens à leur source, c'est-à-dire dans leur version originale (bien des textes grecs n'étaient connus au Moyen Âge que dans leur traduction latine) et débarrassés des gloses et des commentaires qu'ils avaient pu susciter. Les humanistes cherchent à comprendre ce que les Anciens ont voulu dire en respectant l'histoire et les coutumes qui étaient les leurs. Dans le même esprit, ils veulent lire eux-mêmes la Bible.

À cette redécouverte des textes anciens s'ajoute l'idée contenue dans le latin «*litterae humaniores*» qui signifie que «l'étude des lettres rend plus digne du nom d'homme». Tendus vers un effort de perfection humaine, les humanistes s'émerveillent de la grandeur des personnages de l'Antiquité, comme Socrate. Dans l'exemple des hommes anciens, Montaigne reconnaît des exemples de vigueur, d'héroïsme qu'il déplore de ne plus trouver à l'époque où il vit, et il avoue qu'il aurait voulu vivre aux temps de la République romaine :

> Me trouvant inutile à ce siècle, je me rejette à cet autre, et en suis si embabouiné [enchanté] que l'état de cette vieille Rome, libre, juste et florissante [...] m'intéresse et me passionne. (III, 9)

L'APPÉTIT DE CONNAISSANCES

C'est parce qu'ils s'efforcent de rejoindre ces modèles que les humanistes insistent sur l'éducation : « Les hommes ne naissent pas, ils se fabriquent », écrit ainsi Érasme. D'Érasme à Montaigne en passant par Rabelais, tous les humanistes sont convaincus que l'éducation peut par la connaissance rendre l'homme meilleur. Dans le chapitre 8 du *Pantagruel* où il envisage l'éducation de son héros, Rabelais propose ainsi un programme encyclopédique à la hauteur du géant Pantagruel qui doit devenir « un abîme de science ».

On retrouve cet encyclopédisme dans la curiosité de Montaigne qui s'intéresse à la « générale et constante variété » de « notre mère nature » (I, 26) et s'interroge sur les faits étranges : monstres, homme devenu femme, etc. Cet appétit de connaissances se traduit également par un cosmopolitisme : la découverte du Nouveau Monde a enthousiasmé les humanistes, avides de connaître d'autres hommes. Cela explique les pages que Montaigne consacre aux « cannibales » (chapitres I, 31 et III, 6) mais aussi la place qu'il fait aux voyages dans sa vie (chapitre III, 9, « De la vanité ») et dans l'éducation qu'il préconise :

> Il se tire une merveilleuse clarté, pour le jugement humain, de la fréquentation du monde. Nous sommes tous contraints et amoncelés [resserrés et ramassés] en nous, et avons la vue raccourcie à la longueur de notre nez. On demandait à Socrate d'où il était. Il ne répondit pas : « D'Athènes », mais « Du monde ». (I, 26)

Le temps des doutes

Mais aux premiers temps de l'humanisme succèdent les doutes que les troubles religieux et politiques sèment dans les esprits. Alors que pour Rabelais, l'ignorance était la mère de tous les maux, Montaigne se montre plus circonspect : dans le chapitre II, 12 intitulé « Apologie de Raymond Sebond », il déplore une science inutile qui ne conduit pas à aimer la vertu. Il émet aussi des doutes sur les pouvoirs de la raison humaine («notre jugement naturel ne saisit pas bien clairement ce qu'il saisit», II, 12), et il accroît la place faite à l'expérience. Si l'éducation reste une priorité pour lui, c'est qu'il importe de former le jugement et d'apprendre avec méthode. À la science, Montaigne oppose la sagesse, comme l'indique bien sa façon de lire :

> Je ne cherche aux livres qu'à m'y donner du plaisir par un honnête amusement; ou, si j'étudie, je n'y cherche que la science qui traite de la connaissance de moi-même, et qui m'instruise à bien mourir et à bien vivre.» (II, 10)

UN IDÉAL MORAL : LA VERTU

L'idéal moral que proposent les humanistes se situe toujours davantage dans la valeur personnelle de l'individu, quelle que soit sa condition. Montaigne admire le courage des paysans résistant à la peste ou refusant la maladie (III, 13), et il trouve en eux, comme chez les Anciens, des exemples de vertu.

La vertu est d'abord courage, ce courage que Montaigne reconnaît aux cannibales auxquels il oppose la fourbe des conquérants (III, 6), tandis qu'il condamne sans appel la lâcheté, «mère de cruauté» comme le dit le chapitre II, 27. Mais la vertu ne se confond pas avec le succès militaire ou avec la victoire : il y a «des pertes triomphantes à l'envi des victoires» (I, 31). Montaigne explique encore :

> Qui regarde encore en rendant l'âme son ennemi d'une vue ferme et dédaigneuse, il est battu, non pas de nous, mais de la fortune [du hasard]; il est tué, non pas vaincu. (I, 31)

La défaite des Grecs aux Thermopyles est une victoire morale : c'est le hasard, les circonstances extérieures qui ont fait que les Grecs ont eu le dessous. La vertu est encore refus de la cruauté : le capitaine thébain Épaminondas (II, 36) en donne l'exemple, lui qui a su refuser de se battre contre un ami. La loyauté doit régler les rapports humains y compris dans les circonstances extrêmes : en temps de guerre même, il ne faut pas tromper l'ennemi par une fausse promesse (III, 1 «De l'utile et de l'honnête»).

Rien d'austère cependant dans cette vertu, intimement associée au plaisir : « La plus expresse marque de la sagesse, c'est une éjouissance constante » (I, 26). But ultime de l'éducation, la vertu représente le véritable accomplissement de soi (II, 11).

4 La vie et la lecture

« Je suis né [...] à la société et à l'amitié », déclare Montaigne dans le chapitre « De trois commerces » (III, 3) où il évoque ses amitiés avec des hommes, ses échanges avec des femmes et le « commerce » des livres. L'auteur des *Essais* n'est ni un ermite ni un solitaire enfermé dans sa « librairie » (ou bibliothèque). Il aime la vie, les rencontres avec d'autres et il accorde une place importante aux émotions et aux sentiments, en particulier à l'amour et à l'amitié. Dans les livres aussi, qu'il emporte en voyage[1], ce qu'il cherche, ce sont des amis.

L'AMOUR, LES FEMMES, LE MARIAGE

L'amour et le désir

Montaigne parle avec beaucoup de liberté de l'amour, dont il a connu « toutes les rages » (III, 3) et où il trouve la plus grande volupté (II, 12). Pourquoi avoir honte de mentionner l'action génitale « si naturelle, si nécessaire et si juste » qui est à l'origine de notre existence même (III, 5) ? Montaigne ne craint pas non plus de parler de l'impuissance sexuelle, qu'il explique soit par la force de l'imagination (I, 21), soit par la violence de la passion (I, 54).

C'est dire que l'amour dont parle Montaigne est surtout désir et soif de plaisir : « Ce n'est qu'un désir forcené après ce qui nous fuit (I, 28). Mais le corps et l'âme étant étroitement solidaires, l'amour a aussi le pouvoir de revigorer l'esprit même. Au chapitre « Sur des vers de Virgile » (III, 5), Montaigne s'intéresse au langage sur l'amour

1. « Je ne voyage sans livres ni en paix ni en guerre. » (III, 3)

et au langage de l'amour. La poésie est particulièrement apte à parler d'amour, parce qu'elle pratique l'allusion et que la fiction permet de représenter « je ne sais quel air plus amoureux que l'amour même ». De même, Montaigne justifie les coquetteries féminines qui aiguisent le plaisir en le retardant, en « entr'ouvrant [...] une si belle route à l'imagination » (III, 5).

Les femmes

Le discours que tient Montaigne sur les femmes ne renverse pas les rôles et les statuts qui leur étaient reconnus à l'époque. Il aime en elles la beauté et, à l'exception de Marie de Gournay, sa « fille d'alliance », sa relation avec les femmes paraît seulement d'ordre amoureux (III, 3). S'il consacre le chapitre 35 du livre II à quelques exemples de femmes très courageuses, c'est qu'elles sont à ses yeux des exceptions. Mais il admet déjà cette forme d'égalité qu'est le partage des tâches et abandonne volontiers à sa femme l'administration de ses terres quand il part en voyage (III, 9).

Ici encore, Montaigne témoigne donc d'une pensée très souple et dynamique. Tantôt il considère que les femmes sont soumises à leur corps, capricieuses ou têtues (II, 32), tantôt il les reconnaît égales aux hommes et distinctes d'eux par les seules coutumes : « Je dis que les mâles et les femelles sont jetés au même moule » (III, 5). Certes, de nombreuses phrases des *Essais* les associent aux enfants[1] pour les exclure de certains domaines de la connaissance, et il arrive à Montaigne d'émettre des doutes sur l'éducation qu'elles dispensent à leurs enfants. Mais il approuve que les femmes refusent « les règles de vie » que les hommes cherchent à leur imposer alors qu'ils les ont « faites sans elles » (III, 5).

Le mariage

Quant au mariage, Montaigne le considère comme un « marché » nécessaire à la vie sociale : « À le bien façonner et à le bien prendre,

---

1. « Le bas populaire, les femmes et les enfants » (I, 20) ; « le peuple, les enfants, les femmes et les malades » (I, 27), etc.

il n'est point de plus belle pièce en notre société» (III, 5). Mais il le juge incompatible avec le désir : «Un bon mariage, s'il en est, refuse la compagnie et condition de l'amour[1]» (III, 5). Lui-même s'est marié pour respecter l'usage et s'en est trouvé bien : «Et, tout licencieux qu'on me tient, j'ai en vérité plus observé les lois de mariage que je n'avais ni promis ni espéré» (III, 5).

Montaigne pose donc, entre l'homme et la femme, une distance (celle du désir ou celle du contrat), qui n'existe pas avec le parfait ami que fut Étienne de La Boétie.

L'AMITIÉ

En 1558, Montaigne rencontre Étienne de La Boétie (magistrat lui aussi) dont il a apprécié le *Discours de la servitude volontaire*. L'amitié naît immédiatement entre les deux hommes : «Nous nous cherchions avant que de nous être vus» (I, 28). Montaigne évoque cette amitié exceptionnelle avec beaucoup d'émotion et avec une ferveur que les années n'atténuent pas : on en voit la preuve dans les nombreux ajouts pleins de nostalgie qui enrichissent le chapitre I, 28 (→ LECTURE 2).

Par contraste avec les autres relations qui sont toutes empreintes d'inégalité, l'amitié, en particulier celle qu'ont partagée Montaigne et La Boétie, donne l'image de ce que serait une société fondée sur la justice. Elle est une fraternité entre hommes mûrs et égaux, la fusion de deux volontés libres : «Nous étions une âme en deux corps» (I, 28). Cinq ans après leur rencontre, La Boétie meurt. Montaigne, désormais, n'existe «plus qu'à demi». Il rend un premier hommage à son ami en lui donnant une survie littéraire : il fait publier à Paris les œuvres de La Boétie. Mais il a perdu le seul être qui le connaissait mieux que lui-même. Seule l'écriture peut lui offrir le «répondant» qui lui manque désormais. L'amitié de Montaigne pour La Boétie joue donc un rôle exceptionnel dans sa vie et dans son livre, au centre duquel il voulait initialement publier le livre de son ami (I, 28 et 29).

---

1. Ou encore : «C'est une religieuse liaison et dévote que le mariage : voilà pourquoi le plaisir qu'on en tire, ce doit être un plaisir retenu, sérieux, mêlé de quelque sévérité» (I, 30).

Ayant été devancé puisque les protestants ont édité le *Discours de la servitude volontaire,* il renonce à son projet, mais consacre un chapitre à rendre hommage à La Boétie, l'ami unique. Unique parce que les devoirs requis par l'amitié ne sauraient se partager.

LE GOÛT DE LA LECTURE

Troisième « commerce », celui des livres « est bien plus sûr et plus à nous » (III, 3) que les deux autres. Les livres sont pour Montaigne des amis qui le consolent « en la vieillesse et en la solitude », et le déchargent d'une « oisiveté ennuyeuse » (III, 3).

Éduqué dans l'humanisme, c'est-à-dire dans la lecture des Anciens, Montaigne s'avoue plus proche d'eux que de ses contemporains :

> J'ai eu connaissance des affaires de Rome longtemps avant que je l'ai eue de ceux de ma maison : je savais le Capitole1 et son plant [implantation] avant que je susse le Louvre, et le Tibre avant la Seine. (III, 9)

S'il lit assidûment Plutarque et Sénèque, cela ne l'empêche pas de lire les livres de ses contemporains : il cite l'hymne au soleil de Ronsard dans le chapitre II, 12, il salue les conteurs de son époque, dont Marguerite de Navarre (II, 10). Dans le chapitre « Des livres » (II, 10), il avoue aimer surtout la poésie et l'histoire. Les poètes sont très présents dans les citations dont les *Essais* sont nourris, avec une préférence marquée pour les poètes latins, en particulier Ovide et Virgile. Un long chapitre est consacré aux « vers de Virgile » (III, 5) et à la façon dont les poètes ont parlé d'amour.

La place de l'Histoire dans les *Essais*

Quant à l'Histoire, elle est présente dans presque tous les chapitres des *Essais*. Dans les deux premiers livres en particulier, elle est souvent au point de départ des réflexions de Montaigne sur l'attitude des

1. Le Capitole est une des sept collines de Rome et le Tibre le fleuve qui coule dans la capitale italienne.

ambassadeurs (I, 17), ou le moment des négociations (I, 5 et 6). Grand amateur d'Histoire (II, 10), Montaigne lit les historiens anciens (Xénophon, Hérodote, Salluste, Tacite, Tite-Live et César), comme les chroniqueurs modernes (Froissart, Commynes et Guichardin). Il s'intéresse aussi aux relations de voyages (Benzoni, Thevet, Mendoza) qui lui révèlent des coutumes et des façons de vivre étrangères, telles que celles des « cannibales ». Il a commencé à écrire en notant les cas étranges ou extraordinaires qu'il rencontrait chez les historiens.

L'Histoire : un réservoir d'exemples

Car l'Histoire n'est pas pour Montaigne un répertoire de dates. Il trouve en elle un réservoir d'exemples à réexaminer sans cesse, parce qu'ils révèlent les infinies possibilités de la nature humaine : « Advenu ou non advenu [que cela se soit produit, ou non] [...], c'est toujours un tour de l'humaine capacité » (I, 21). L'Histoire est riche d'observations qui montrent la diversité des hommes, de leurs réactions et de leurs desseins : « L'Homme en général, de qui je cherche la connaissance, y paraît plus vif et plus entier qu'en nul autre lieu » (II, 10). En ce sens, l'Histoire telle que la conçoit Montaigne englobe l'anthropologie, elle est découverte des autres, reconnaissance et acceptation de leurs différences : « Tant d'humeurs, de sectes, de jugements, d'opinions, de lois et de coutumes nous apprennent à juger sainement des nôtres » (I, 26). Réfléchir sur le monde est pour Montaigne à la fois une manière de lire le présent et d'aborder l'histoire intime.

Le présent à la lumière du passé

Bien que Montaigne fasse peu d'allusions précises aux troubles de son époque, la place qu'il accorde à l'Histoire traduit bien ses préoccupations. En lisant les historiens, il cherche à mieux comprendre et à démêler l'actualité de son temps : quand un roi trahit son devoir, est-il juste de l'assassiner? Il compare les comportements de tel prince et de tel autre ; il fait dialoguer le passé avec le présent et s'interroge sur ce que représente l'exercice du pouvoir. L'examen des princes de son temps met toujours en perspective des Anciens qui jouent le rôle de modèles : ce sont Alexandre, César, Épaminondas.

Dans le chapitre intitulé «De la liberté de conscience» (II, 19), Montaigne part du cas de Julien l'Apostat*, empereur romain revenu au paganisme, pour réfléchir à l'efficacité d'une politique de tolérance qui admet l'existence de deux camps dans un État.

L'Histoire ou la connaissance des hommes

Mais ce que Montaigne recherche chez les historiens, c'est ce qui le conduit à la connaissance de l'homme et de soi :

> Je viens de courre d'un fil [parcourir d'une traite] l'histoire de Tacitus [...] Je ne sache point d'auteur qui mêle à un registre public tant de considérations des mœurs et inclinations particulières. (III, 8)

Car l'Histoire qui intéresse Montaigne est surtout le récit de vie, selon la méthode adoptée par Plutarque* dans ses *Vies des hommes illustres,* que Jacques Amyot traduit en français (1559) et dont Montaigne est littéralement nourri. Dans ces *Vies* des empereurs grecs et latins, Plutarque se situe très près du biographe : il n'écrit pas une histoire mais une vie et, pour peindre ses personnages avec la plus grande authenticité, il a choisi d'évoquer non pas les exploits guerriers de ses personnages mais plutôt les moments privés des prises de décision. Aux événements extérieurs, souvent accidentels et dus à «fortune», il a préféré l'homme intérieur. C'est en cela qu'il convient particulièrement à Montaigne, pour qui lire l'Histoire, c'est dialoguer avec un homme. Il conseille ainsi à l'élève qu'il rêve d'éduquer : «Il pratiquera, par le moyen des histoires, ces grandes âmes des meilleurs siècles» (I, 26).

5 Montaigne et l'éducation

Pour la plupart des humanistes, en particulier avant la Réforme, l'homme est naturellement enclin au bien (c'est l'idée de Socrate et de Platon dans *La République*). Rabelais affirme : «*Physis*, c'est Nature, en sa première portée enfanta Beauté et Harmonie [...] comme de soi-même est grandement féconde et fertile» (*Quart Livre*). Érasme apporte à ce jugement des réserves intéressantes :

> Chez les esprits bien nés et bien instruits, il n'y a, je le proclame, que très peu d'inclination au mal. En très grande partie, cette inclination ne vient pas de la nature, mais d'une mauvaise éducation, de mauvaises fréquentations, de l'habitude du péché, de la malice de la volonté.

C'est fort de ces conceptions que Montaigne énonce des principes pédagogiques plutôt qu'un programme.

DES PRINCIPES PÉDAGOGIQUES

L'enfant est un terrain vierge riche de possibilités qu'il convient de développer car, livré à lui-même, il est en proie à toutes les influences néfastes : c'est pourquoi il faut auprès de lui un guide vigilant qui lui permette de rester fidèle à sa nature bonne. S'intéressant à la nature individuelle de l'enfant, Montaigne récuse l'éducation collective dispensée par les collèges, parce qu'il juge impossible de former simultanément des esprits divers. «Ces geôles de jeunesse captive», qui recourent à la contrainte et à la punition, asservissent l'âme de l'enfant ou le conduisent à la dissimulation.

La fonction du précepteur

Dans le chapitre qui suit la critique du pédantisme, et qu'il consacre à « l'institution [l'enseignement] des enfants » (I, 26), Montaigne préconise une éducation individuelle[1] (→ **Lecture 1**). Le précepteur se met à l'écoute de son élève dont il prend en compte la nature[2]. Tout enfant contrarié se retourne contre son maître et se refuse à apprendre :

> Rien n'est en effet plus néfaste qu'un précepteur dont le caractère amène les enfants à haïr les études avant d'être en mesure de comprendre pourquoi il faut aimer. Le premier degré du savoir est l'amour de son précepteur. Avec la marche du temps, il se fera que l'enfant qui avait d'abord commencé par aimer les études pour l'amour de son maître, aimera plus tard son maître pour l'amour des études.
>
> Érasme

Proche de l'enfant, le précepteur doit établir avec lui un dialogue : « Je ne veux pas qu'il [le précepteur] invente et parle seul, je veux qu'il écoute son disciple parler à son tour. » (I, 26)

Exercer le jugement critique[3]

Grâce au secours de sa raison, l'enfant découvrira des connaissances qu'il confrontera à d'autres. Usant de son esprit critique, il pourra également mettre en doute tel ou tel principe, ou le faire vraiment sien. Cela exclut le savoir par cœur que préconisaient les pédants auxquels Montaigne reproche de ne travailler « ... qu'à remplir la mémoire » et de laisser « l'entendement et la conscience vide » (I, 25, « Du pédantisme »). La connaissance livresque et théorique est remplacée par une mise en application systématique des principes étudiés et par l'importance accordée à l'exemple[4] : « Sa leçon se fera tantôt par devis [conversation], tantôt par livre » (I, 26). Cela signifie aussi qu'est abandonné l'encyclopédisme préconisé par Rabelais.

---

1. Montaigne fut lui-même éduqué par un précepteur allemand. Adolescent, il entra au collège de Guyenne, où il dit avoir oublié tout le latin que lui avait appris son précepteur.
2. En ce sens, l'éducation que Montaigne préconise est très aristocratique.
3. Le mot « critique » vient d'un mot grec qui veut dire « trier », passer au crible.
4. Montaigne a appris le latin en le parlant avec toute la maisonnée.

Mais Montaigne garde l'idée de l'apprentissage par le jeu, présente chez Rabelais : il faut donner le goût d'apprendre à un enfant car sa formation dépend de sa motivation.

« Roidir les muscles »

N'en déduisons pas que l'élève sera dorloté. Traité avec douceur, il sera entraîné à l'effort : l'enfant devra s'endurcir le corps, apprendre à ne craindre ni le froid ni l'obscurité, à goûter toutes sortes d'aliments. En bref, il devra s'aguerrir afin de moins souffrir. Mais autant que l'esprit, le corps sera respecté, parce que les facultés morales et physiques sont solidaires entre elles. Ainsi, l'enfant apprendra à dominer ses passions et à maîtriser ses instincts.

UNE OUVERTURE SUR LA VIE ET LES HOMMES

Le contenu même de l'apprentissage concerne moins les livres que l'observation de la nature : « Que le monde soit le livre de mon écolier » (I, 26). Montaigne se soucie d'apprendre à observer, à raisonner, à comprendre, mais il ne vise pas à préparer l'enfant pour l'exercice d'une profession. Bien formé, l'enfant pourra ensuite acquérir la science particulière dont il aura besoin : « La science qu'il choisira, ayant déjà le jugement formé, il en viendra bientôt à bout. »

Dès l'enfance, l'élève doit être mis en contact avec la vie, avec les choses de la nature, avec les autres hommes, qu'ils soient pages, paysans, ou artisans. Ce « commerce des hommes » est au moins aussi fructueux que les leçons des livres. Montaigne voit la lecture comme une conversation avec des hommes disparus (II, 10), la conversation étant le meilleur exercice pour l'esprit, car elle l'oblige à réagir rapidement (« De l'art de conférer », III, 8).

Les voyages, un complément d'éducation

Les voyages compléteront cette éducation en obligeant l'enfant à « frotter et limer sa cervelle à celle d'autrui ». Alors que les stoïciens avaient mis en garde contre le voyage, qui ne transforme pas un homme, Montaigne y voit à la fois un divertissement et un entraînement « à remarquer les choses inconnues et nouvelles » (III, 9). Ainsi, tout comme l'éducation fait sa place au jeu, le voyage procure le plaisir de s'instruire en regardant autour de soi.

Loin de vouloir, comme certains de ses compatriotes, retrouver la France à l'étranger, Montaigne cherche avant tout à pénétrer les coutumes et les mœurs des pays qu'il traverse (III, 9). Dans son *Journal de voyage* où il note ses impressions les plus diverses, il mentionne les techniques de chauffage, il observe les mœurs des courtisanes, des paysans. Soucieux de morale plus que d'archéologie, il regarde tous les hommes comme ses concitoyens naturels.

« un exercice profitable » (III, 9)

Ainsi conçu, le voyage permet d'apprendre à comprendre les autres, ceux qui sont différents. Grâce aux voyages, on peut constater que les mentalités et les usages diffèrent d'un pays à l'autre. On devient plus tolérant, car on découvre qu'il n'y a pas de vérité unique : « Je festoie et caresse la vérité partout où je la trouve » (III, 8). Cet apprentissage de la relativité des usages correspond bien au double effort des *Essais*. Il s'agit à la fois de saisir la spécificité de certains traits de caractère ou de mœurs et d'appréhender l'universalité derrière les différences.

LA FINALITÉ DE CETTE ÉDUCATION

Le but de l'éducation est moral. Il s'agit de former non un savant, mais un homme capable de reconnaître la vérité et de la choisir : « Le gain de notre étude est d'en être devenu meilleur et plus sage » (I, 26). Amplifiant l'idée de Rabelais selon lequel « Science sans conscience n'est que ruine de l'âme », Montaigne n'accorde pas de valeur intrinsèque à la science. Ce qui importe, c'est que l'enfant acquière l'esprit et le cœur d'un homme libre et soucieux de se connaître soi-même, pour être heureux.

6 Montaigne conservateur ?

Méfiant à l'égard de tout changement, Montaigne a parfois été jugé comme un partisan résolu de l'ordre social et politique établi. En réalité, il démystifie le pouvoir des princes. S'il se défie des innovations, il reste pourtant critique sur le droit. Enfin, il condamne sans appel la guerre et la colonisation.

LA RÉFLEXION CRITIQUE SUR LES GRANDS

La démystification

Montaigne a d'abord été profondément marqué par le *Discours de la servitude volontaire,* écrit en 1550 par son ami Étienne de La Boétie. Réflexion sur l'oppression et la soumission d'un peuple au tyran qui l'assujettit, le *Discours* préconise la résistance passive au despotisme du pouvoir unique. Pour Montaigne, c'est parce qu'il a le pouvoir qu'un prince est dangereux :

> Considérant l'importance des actions d'un prince et leur poids, nous nous persuadons qu'elles soient produites par quelques causes aussi pesantes [graves] et importantes. Nous nous trompons : ils sont menés et ramenés en leurs mouvements par les mêmes ressorts que nous sommes aux nôtres. [...] Ils veulent aussi légèrement [avec autant de légèreté] que nous, mais ils peuvent plus. (II, 12)

Le discours de Montaigne sur les grands passe d'abord par cette démystification. Il distingue dans le prince la fonction et l'être réel, ce qui l'amène à dire : « au plus élevé trône du monde, si [pourtant] ne sommes assis que sur notre cul » (III, 13).

La fonction royale

Passant au crible les qualités que requiert à ses yeux l'exercice de la fonction royale, Montaigne déplore ainsi que l'« humanité, la vérité, la loyauté, la tempérance, et surtout la justice » soient très rares chez les princes (II, 17), qui sont, parfois, d'une médiocrité incompatible avec leur fonction (I, 26 ; III, 7). Cela peut les amener à vouloir s'imposer par la crainte, ou à se faire valoir par un luxe dépensier, alors que, responsables du Trésor public, ils n'ont pas le droit de le dilapider (III, 6). Tenant leur force de « la seule volonté des peuples[1] » (II, 17), les rois devraient avant tout chercher à se faire aimer. Montaigne refuse un pouvoir assis sur la crainte[2], parce qu'elle ouvre la porte à la cruauté. C'est le souci de leur sécurité qui, conjugué à leur lâcheté, rend les tyrans sanguinaires. Faute de pouvoir les affronter, ils exterminent ceux qui les offensent (II, 27). À ces tyrans, Montaigne oppose les rois du Mexique et du Pérou, qui donnent à leur peuple l'exemple du courage et savent se faire aimer de lui (III, 6).

LA RÉFLEXION SUR LE DROIT

Magistrat, Montaigne a une connaissance précise du droit. Il le sait sujet aux fluctuations selon les époques et les pays : « Quelle vérité que ces montagnes bornent, qui est mensonge au monde qui se tient au-delà ? » (II, 12). Ce n'est pas la raison qui fonde la loi mais la décision arbitraire d'un peuple ou d'un prince (II, 12), c'est-à-dire la faiblesse et la vanité des hommes (III, 12).

Les critiques de Montaigne

Montaigne critique d'abord le fait que le droit soit écrit dans une langue presque incompréhensible pour le peuple : « Pourquoi est-ce que notre langage commun, si aisé à tout autre usage, devient obscur et non intelligible en contrat et testament ? » (III, 13). À moins de

---

1. Montaigne ne croit guère au pouvoir royal de droit divin.
2. Montaigne écrit à Henri IV, le 18 janvier 1590 : « Que Votre Majesté soit plutôt chérie que crainte. »

passer par un spécialiste, le peuple ne peut ni comprendre ni respecter ces lois. De plus, ce langage prête à contestation et le droit est un fouillis d'interprétations contradictoires.

Montaigne conteste d'autre part le contenu d'une législation héritière du droit romain qu'il juge inadapté à la France du XVIe siècle. Il blâme encore que « la justice soit refusée à qui n'a de quoi la payer » (I, 23). Il reconnaît enfin que bien des lois sont injustes.

Des lois injustes : l'exemple de la torture

La pratique de la torture (encore appelée « question » ou « géhenne ») a été rendue officielle par l'édit de Villers-Cotterêts de 1539[1]. Prenant clairement parti contre l'usage de son temps, Montaigne se révolte contre cette légitimation de la cruauté (« La stratégie argumentative », p. 83). Les juges qui torturent se chargent d'un crime plus horrible puisqu'ils font alors « pis que de tuer » (II, 5). Enfin, supplicier un corps, c'est aussi révolter une âme, à cause de la douleur et peut-être de l'injustice subies. L'inculpé meurt donc en état de rébellion.

Des propositions de réformes

Montaigne propose çà et là des réformes. Sur le plan théorique, il souhaite qu'un seul droit rédigé en français soit valable dans tout le royaume, au lieu des deux codes romain et coutumier qui ont force de loi respectivement dans le Sud et le Nord de la France[2]. Il réclame la gratuité de la justice[3], et préférerait que les responsabilités juridiques soient confiées à des gens choisis pour leurs qualités morales, plutôt qu'à des gens seulement capables de les acheter[4] :

> Qu'est-il plus farouche que de voir une nation où par légitime coutume, la charge de juger se vende, et les jugements soient payés à purs deniers comptants, et où légitimement, la justice soit refusée à qui n'a de quoi la payer ? (I, 23)

---

1. Malgré son abolition en 1580, elle continua d'être pratiquée.
2. C'est Louis XIV qui unifiera la législation du pays.
3. Dans son annotation à un projet de réforme judiciaire de Henri de Navarre en 1584.
4. Les fonctions des juges étaient vénales, c'est-à-dire qu'elles s'achetaient.

Il proteste contre les excès de la fiscalité et rappelle au roi le tourment de « ceux qui ne vivent qu'avec hasard et de la sueur de leur corps »[1]. Il propose encore que soient révisées les lois sur les dépenses de luxe (« Des lois somptuaires », I, 43). Ces ordonnances interdisaient le port de certaines étoffes à tous sauf aux riches. Or, dit Montaigne, réserver les objets luxueux aux riches fait « croître l'envie à chacun d'en user » : « Le vrai moyen, ce serait d'engendrer aux hommes le mépris de l'or et de la soie, comme de choses vaines et inutiles » (I, 43). Montaigne souhaite aussi qu'en abaissant l'âge de la majorité civile (fixé à vingt-cinq ans), on permette aux enfants d'être plus vite indépendants de leurs parents sur le plan financier (I, 57 ; II, 8).

Dans le domaine de l'application de la justice, Montaigne dit avoir souvent préféré s'abstenir, plutôt que de prononcer une condamnation qui requiert une intime conviction. Il préconise la prudence, voire l'abstention, dans certains jugements : « Recevons quelque arrêt qui dise : la cour n'y entend rien » (III, 11). Il s'insurge ainsi contre la persécution des sorcières : « À tuer les gens il faut une clarté lumineuse et nette » (III, 11).

La méfiance à l'égard des réformes

Pourtant, Montaigne met en garde contre le danger des réformes, dans le chapitre I, 23 : la nouveauté engendre « des effets très dommageables ». Le progrès que peut apporter une réforme est hypothétique, tandis que le mal entraîné par le changement est certain. Réformer, c'est vouloir « guérir la maladie par la mort » (III, 9). D'autant que, pour s'imposer, le changement recourt souvent à la violence (II, 8), qui ne peut contraindre les mentalités. Un État étant un organisme comparable au corps humain, une réforme de détail est aussi dangereuse qu'une révolution, parce qu'elle se répercute forcément sur tout le corps :

> [...] une police, c'est comme un bâtiment de diverses pièces jointes ensemble, d'une telle liaison qu'il est impossible d'en ébranler une que [sans que] tout le corps ne s'en sente [ressente]. (I, 23)

1. Lettre à Henri III du 31 août 1583 dans laquelle Montaigne réclame la gratuité de la justice et une réduction des impôts.

Avant de proposer une réforme, il faudrait pouvoir transformer les conditions et les esprits des hommes. Dans un État déjà constitué, les citoyens sont habitués à certaines coutumes : « les lois grossissent et s'ennoblissent en roulant » (II, 12), si bien qu'une loi ancienne a l'avantage de s'être adaptée au mode de vie des hommes. C'est la raison pour laquelle Montaigne se défie des innovations législatives qui cherchent en vain à rejoindre « l'infinie diversité des actions humaines » (III, 13). Au lieu de créer de nouvelles lois qui accroissent la confusion, il faudrait laisser plus de liberté au pouvoir des juges pour adapter les lois existantes aux réalités nouvelles.

Montaigne est donc conservateur en ce qu'il recommande la soumission à l'ordre établi. Mais ce n'est pas parce qu'il croit que l'ordre établi est juste, ou qu'il y trouve un intérêt personnel. Montaigne ne reconnaît aucune valeur intrinsèque aux lois. S'il leur obéit, ce n'est pas « parce qu'elles sont justes, mais parce qu'elles sont lois » (III, 13) et que tout changement serait précaire (I, 23).

LA DÉNONCIATION DE LA GUERRE ET DE LA COLONISATION

La guerre

Les contemporains de Montaigne ont vu dans ses *Essais* des discours militaires. C'est particulièrement vrai du premier livre, qui s'intéresse en effet au comportement des chefs de guerre (comme César ou Alexandre), et aux problèmes de stratégie militaire[1] : comment parlementer? doit-on s'obstiner à défendre une place forte? Pourtant, les guerres qui ébranlent la France du XVIe siècle n'apparaissent qu'à l'arrière-plan des *Essais*[2]. C'est sans doute pour Montaigne une façon de les tenir à distance.

1. Voir les titres des chapitres 5, 6, 13, 15, 17, 45 du livre I et 7, 9, 24, 34 du livre II.
2. Si l'on excepte la bataille de Dreux, à laquelle il consacre le chapitre I, 45.

Occasion de vaillance ou de cruauté ?

Comme chez la plupart des humanistes de son temps, la position de Montaigne est résolument pacifiste[1] : la guerre ne vise qu'à « nous entredéfaire et entretuer » (II, 12) et elle constitue un « témoignage de notre imbécillité et imperfection ». Pratiquée par les Anciens, la guerre restait occasion de vaillance : « Toute noble et généreuse, et a autant d'excuse et de beauté que cette maladie humaine en peut recevoir » (I, 31). Mais les guerres modernes sont, aux yeux de Montaigne, le fruit d'ambitions mesquines et l'occasion de « cruautés inouïes ». De plus, les combattants ne parviennent qu'à une fausse gloire, puisque le hasard seul donne la victoire à tel ou tel camp.

Les guerres civiles

La guerre civile ou religieuse est encore plus monstrueuse : alors que « les autres agissent au-dehors, celle-ci encore contre soi se ronge et se défait par son propre venin » (III, 12). À la confusion, la guerre de Religion ajoute l'imposture, puisqu'en se réclamant de Dieu, elle légitime crimes et cruautés : « Elle veut guérir la sédition [la révolte contre l'autorité établie] et en est pleine, veut châtier la désobéissance et en montre l'exemple » (III, 12). Montaigne marque clairement son désaccord avec Machiavel*, en refusant qu'au nom de la raison d'État[2] la morale individuelle soit abandonnée.

La colonisation

Comme la guerre, Montaigne condamne sans réserve les massacres abominables et disproportionnés auxquels se sont livrés les conquérants espagnols et portugais :

> Tant de villes rasées, tant de nations exterminées, tant de millions de peuples passés au fil de l'épée, et la plus riche et belle partie du monde bouleversée pour la négociation des perles et du poivre. (III, 6)

---

1. En 1585, indigné de leur immoralité sauvage, il s'est même abstenu de prendre part aux combats.

2. Le Droit stipulait que le peuple français devait avoir la même religion que son roi, le catholicisme en l'occurrence.

La répétition de l'intensif « tant de » montre aussi que Montaigne reconnaît une vraie culture chez les Amérindiens.

La condamnation de la conquête

Lorsqu'il entreprend ses *Essais*, les grandes conquêtes coloniales sont terminées[1]. Des récits ont paru, relatant ces expéditions. Montaigne en a lu : il s'est par exemple beaucoup inspiré du récit de la conquête qu'a écrit Lopez de Gomara, le secrétaire de Cortès, (I, 31 et III, 6 en particulier[2]). Il s'est encore informé par des témoignages oraux de ce qui se passait dans le continent américain (« le Nouveau Monde »), et en 1562, il a assisté à l'entrevue entre le roi Charles IX et trois Indiens à Rouen.

La dénonciation des conquérants

Montaigne dénonce d'abord la vanité des conquérants du Nouveau Monde qui se sont arrogé une puissance absolue. À ces conquérants brutaux, il oppose les anciens Grecs et Romains qui ont eux aussi colonisé des territoires, mais se sont souciés d'assimiler la culture des peuples qu'ils s'annexaient. Rien de tel chez les conquistadores qui ont mis en cause l'appartenance des Indiens à l'humanité[3]. Montaigne peint la cruauté des colons espagnols, leur recours à la ruse[4].

> Nous nous sommes servis de leur ignorance et inexpérience à [pour] les plier plus facilement vers la trahison, luxure, avarice et vers toute sorte d'inhumanité et de cruauté. (III, 6)

Alors qu'ils lui avaient promis la vie sauve, ils ont fait mourir le roi du Mexique parce qu'ils ne trouvaient pas l'or qu'ils cherchaient (III, 6). Ils ont converti les Indiens sous la menace (III, 6. → LECTURE 5).

---

1. L'empire des Aztèques (Mexique) a été colonisé en 1521 et l'empire des Incas (Équateur, Pérou, Chili) en 1535.
2. Voir l'étude qui leur est consacrée dans la collection *Profil*.
3. Ouverte en 1550 à la demande du pape pour définir le statut des Indiens, la controverse de Valladolid avait opposé, entre autres, Sepulveda, considérant les Indiens comme des sous-hommes, et Bartholomé de Las Casas louant, au contraire, leur douceur et de leur loyauté.
4. La dénonciation est courageuse à une époque où la France était alliée aux Espagnols qui finançaient la Ligue catholique.

La défense des « cannibales[1] »

Les colons incarnent l'avidité, la corruption et la décadence de l'Ancien Monde. En face d'eux, les indigènes sont qualifiés de « barbares » parce que « chacun appelle barbare ce qui n'est pas de son usage » (I, 31). Par contraste avec la brutalité des colons qui dégradent immédiatement leurs découvertes en vils bénéfices, les « sauvages » n'ont rien de ce qui fait le malheur des civilisations européennes.

> Mais quant à la dévotion, observance des lois, bonté, libéralité, loyauté, franchise, il nous a bien servi de n'en avoir pas autant qu'eux; ils se sont perdus par cet avantage [leurs qualités les ont perdus][2]. (III, 6)

La splendeur de leurs cités et la beauté de leur poésie témoignent du raffinement dont ils sont capables. Montaigne condamne donc sans ambiguïté la conquête du Nouveau Monde, ses fins et ses moyens.

POUR LA LIBERTÉ DE PENSÉE

Taxer Montaigne de conservateur est abusif. S'il se prononce contre les innovations, c'est parce que souffrant des bouleversements civils de son époque, il juge la stabilité nécessaire aux citoyens. La vie en société requiert l'obéissance à l'ordre établi et le respect des lois. À l'exemple de Socrate qui a préféré mourir plutôt que de désobéir au magistrat (I, 23), Montaigne accepte le monde tel qu'il le trouve. Mais il y a dans cette attitude une séparation, qui annonce celle de Kant*, entre ce qui est vie publique et vie privée : « Le sage doit au-dedans retirer son âme de la presse. Quant au dehors, il doit suivre entièrement les façons et formes reçues » (I, 23). Cette soumission à l'ordre public garantit chez Montaigne la liberté de pensée : il sait prendre de la distance par rapport à son rôle social, « se prêter à autrui et ne se donner qu'à soi-même » (III, 10).

---

1. On donnait le nom, d'origine caraïbe, de « cannibales » aux Amérindiens qui avaient pour rite de vengeance de se nourrir de leurs ennemis.
2. Montaigne est un des premiers à émettre l'idée d'un homme naturel qui serait bon. Reprise au XVIIIe siècle, cette idée deviendra le mythe du bon sauvage.

7 La religion de Montaigne

Appartenant au domaine de la vie privée, la croyance d'un écrivain est difficile à établir avec certitude. Mais on peut chercher à dégager de son œuvre quelques idées directrices.

FONDER LA FOI SUR LA RAISON ?

Au XIIIe siècle, saint Thomas d'Aquin posait la question : « Peut-on fonder la foi sur la raison ? » Le théologien Raymond Sebond, que traduit Montaigne, revient sur ce problème dans sa *Théologie naturelle* où il propose de mettre la raison au service de la foi : la raison n'est-elle pas un don de Dieu ? Sebond voit encore dans la nature et dans la création des preuves de l'existence de Dieu, qui les a créées. Dans l'« Apologie de Raymond Sebond » (II, 12), Montaigne prend le contre-pied du théologien : pour lui, la raison humaine est incapable de connaître Dieu, qui est sans commune mesure avec l'homme. L'anthropocentrisme, qui fait de l'homme le centre du monde et se figure Dieu à l'image de l'homme, est erroné et sacrilège dans la mesure où il abaisse Dieu « à notre corruption et à nos misères » (II, 12). Dieu est transcendant* : « Il ne faut mêler Dieu en nos actions qu'avec révérence et attention pleine d'honneur et de respect » (I, 56). Étant toute bonté, Dieu « a fait tout bon » (III, 13). Mais ses desseins restent obscurs aux hommes : ceux-ci considèrent par exemple comme des « monstres » des êtres handicapés qui n'ont peut-être, en fait, rien de monstrueux au regard de Dieu (II, 30).

Une Providence lointaine

Créateur et Providence, Dieu n'intervient pourtant pas constamment dans les affaires humaines[1]. Les hommes ont donc tort de fonder leur foi sur ce qui leur arrive (I, 32) ou de « rechercher au ciel les causes et menaces anciennes de leurs malheurs[2] » (I, 11). Au chapitre « Des prières », Montaigne explique que Dieu ne se conforme pas aux demandes des hommes, mais agit selon une justice qui leur est inconnue :

> Dieu est bien notre seul et unique protecteur et peut toutes choses à nous aider; [...] il est pourtant autant juste comme il est bon et comme il est puissant, mais il use plus souvent de sa justice que de son pouvoir. (I, 56)

La grâce divine

La foi doit exprimer la reconnaissance de l'homme envers Dieu. En effet, seule la grâce divine permet à l'homme, faible par nature, de s'élever et de surmonter les limites de sa nature. C'est ainsi que se conclut l'« Apologie de Raymond Sebond » :

> Il s'élèvera si Dieu lui prête extraordinairement la main ; il s'élèvera, abandonnant et renonçant à ses propres moyens, et se laissant hausser et soulever par les moyens purement célestes. (II, 12)

L'ESPRIT D'EXAMEN

La Réforme naît avec Luther, moine augustin qui traduit la Bible en allemand et revendique la lecture individuelle des Écritures, là où les fidèles devaient jusqu'alors passer par l'autorité d'un prêtre. Se développe l'esprit d'examen et bien des dogmes catholiques sont remis en cause : les protestants contestent le culte des saints, intercesseurs entre Dieu et les hommes pour les catholiques. Ils ne reconnaissent comme sacrements que le baptême et la Cène (ou communion). Pour eux, l'homme n'est pas sauvé par ses œuvres (ou actes) mais par la seule grâce de Dieu (c'est la justification par la foi).

---

1. Cette conception de Dieu annonce le déisme d'un Voltaire au XVIIIe siècle.
2. L'Église catholique a d'ailleurs reproché à Montaigne d'avoir trop souvent attribué à la « fortune », c'est-à-dire au hasard, des événements voulus par Dieu.

Des discussions oiseuses

Aux yeux de Montaigne, les protestants se mêlent de discussions réservées aux théologiens (II, 12). Elles sont dérisoires, étant donné la faiblesse de l'esprit humain, et d'autre part, elles sont pernicieuses pour la morale et la vie publique.

Au chapitre «De la liberté de conscience» (II, 19), l'auteur des *Essais* déplore les catastrophes qu'a produites le christianisme naissant en brûlant les œuvres d'art sous prétexte qu'elles étaient païennes. La foi devrait inciter catholiques et protestants à la douceur et à la modération, non au fanatisme : «seule et sans les mœurs [la morale]», la religion ne suffit pas «à contenter la divine justice» (III, 12).

La conduite morale

Méfiant à l'égard du jugement individuel, dont il constate les errements puisque, d'un jour à l'autre, un homme peut penser différemment, Montaigne insiste moins sur le contenu de la croyance que sur la conduite morale. Il conseille en toute action la modération, qui est signe de modestie dans le jugement, et il dénonce la dévotion excessive et l'hypocrisie de certains qui s'adonnent en réalité «à la haine, l'avarice et l'injustice». Avec une grande lucidité, il analyse encore tout ce qui entre dans la composition d'une croyance : la crainte des châtiments promis aux incroyants, l'espoir de récompenses (II, 12), mais aussi l'obéissance aux traditions.

L'obéissance aux traditions

C'est cette même obéissance aux traditions que Montaigne prête aux Amérindiens et par laquelle il justifie leur refus de la conversion (→ LECTURE 5). Les religions lui apparaissent un peu comme des phénomènes sociaux, soumis à la naissance et au déclin. Lui-même a ainsi hérité de la religion en usage dans son pays : il tient sa religion du hasard «où Dieu [l]'a mis», et il est catholique comme il est périgourdin (II, 12). On n'est pas très loin de l'idée de Montesquieu qui fait de telle religion moins un acte de foi qu'un héritage culturel.

Un catholicisme critique

Conscient de la précarité de son jugement, Montaigne est resté catholique. Cela ne l'empêche pas de prendre des distances par rapport au catholicisme. D'abord de façon implicite : il parle peu de la Vierge (I, 56) et ne mentionne qu'une fois les reliques et les miracles (I, 27). Plus explicitement, il prend la défense du suicide (II, 3), pourtant condamné par l'Église; il ne fait guère de place au péché et ne croit pas que l'on se repente des fautes dans lesquelles on retombe souvent (III, 2, « Du Repentir »). Il déplore qu'on se serve des prières comme de formules magiques (I, 56). Il remet aussi en cause des conceptions qui lui paraissent puériles, comme celle du paradis « tapissé d'or et de pierreries » chez les Mahométans, ou la croyance de certains catholiques en une vie terrestre après la résurrection (II, 12).

Il se demande enfin s'il est bien juste d'espérer gagner la vie éternelle en récompense « d'une si courte vie » (II, 12).

Quelle est la foi de Montaigne ?

La religion de Montaigne ressemble à une religion non pas révélée, mais naturelle. Loin de reconnaître à l'homme une place centrale dans l'univers, il ne le trouve guère différent des animaux (II, 12), dont il n'exclut pas qu'ils puissent avoir des comportements religieux : il évoque ainsi l'attitude de « méditation » des éléphants (II, 12).

Se méfiant d'une dévotion qui ne se traduit pas en acte :

> Je ne loue pas volontiers ceux que je vois prier Dieu plus souvent et plus ordinairement, si les actions voisines de la prière ne me témoignent pas amendement et réformation. (I, 56),

il privilégie l'action morale. Il rappelle enfin que le meilleur juge de l'homme est sa conscience et reconnaît la grandeur de Dieu, souvent confondu avec la nature divinisée.

Il est au fond difficile de décider si l'auteur des *Essais* se rattache plutôt au fidéisme, qui veut fonder la relation à Dieu sur la seule foi en dehors de la raison, ou à l'agnosticisme, attitude qui consiste à douter que l'homme puisse s'élever jusqu'aux notions métaphysiques.

8 La philosophie de Montaigne

LA RÉFLEXION SUR LA CONDITION HUMAINE

Quand Montaigne commence à écrire les *Essais*, la crainte de la douleur et de la mort est au centre de ses préoccupations. L'expérience de la maladie et l'approche de la mort lui permettront d'approfondir cette réflexion en interrogeant les philosophies qui ont cherché à répondre à ces questions.

L'expérience de la maladie

Avec les premières atteintes de la gravelle[1] en 1578, Montaigne fait l'expérience de la douleur, d'une douleur tenace mais discontinue : « On n'a point à se plaindre des maladies qui partagent loyalement le temps avec la santé » (III, 13). Il découvre alors qu'à la crainte d'une souffrance, il préfère une souffrance réelle, à laquelle il peut s'habituer. S'efforçant de dominer sa souffrance en l'analysant, il refuse de la nier, et par là il s'oppose aux philosophes stoïciens qui prétendent supprimer la douleur en ne l'appelant pas par son nom : « Si ce que nous appelons mal et tourment n'est ni mal ni tourment de soi, ains [mais] seulement que notre fantaisie [imagination] lui donne cette qualité, il est en nous de la changer » (I, 14). Or, prenant la mesure de sa souffrance, Montaigne se rend compte qu'elle n'est pas illusion des sens, mais phénomène naturel.

La maladie et la souffrance rappellent à l'homme l'existence et les réactions instinctives de son corps. C'est pourquoi, refusant le

1. La maladie de la pierre ou lithiase rénale (calculs néphrétiques). Montaigne a quarante-cinq ans.

secours de la médecine, Montaigne décide de les accueillir comme telles : « Laissons faire un peu à Nature : elle entend mieux ses affaires que nous » (III, 13). Si la douleur n'a pas de vertu en soi, elle permet, par contraste, d'apprécier le plaisir. C'est encore la raison pour laquelle il supportera sa maladie : elle a non seulement l'avantage de le préparer à la mort, mais aussi, en lui infligeant une douleur réelle, de lui épargner la crainte d'une douleur inconnue : « À la vérité, ce que nous disons craindre principalement en la mort, c'est la douleur, son avant-coureuse coutumière » (I, 14).

« Apprivoiser la mort »

Une souffrance n'inspire de crainte que parce qu'elle annonce la mort. Signe de l'imperfection naturelle de l'homme, la mort occupe une place importante dans les *Essais*. Elle est le moment où l'on rend ses comptes (I, 3, 7, 19 ; II, 13), où l'on affronte l'inconnu. Peut-être cette importance s'explique-t-elle par le fait qu'en perdant son ami La Boétie, Montaigne a pris conscience de tout ce que signifie la disparition. Ce « dernier acte de la comédie » (I, 19) lui semble la « plus horrible » des choses, et il veut se préparer à l'affronter.

À l'insouciance des animaux, Montaigne préfère d'abord l'attitude qui consiste à se tenir « botté et prêt à partir » (I, 20). Il se convainc que ce qui donne à la vie son prix, ce n'est pas sa durée mais l'usage qu'on en fait. Un accident de cheval lui permet de substituer l'expérience à la philosophie. Blessé, sans connaissance, il peut apprivoiser la mort en s'en « avoisinant » (II, 6). Il prend alors conscience que la crainte de la mort est ce qui la rend horrible. En effet, le moment de la mort venu, la faiblesse de l'âme accompagne celle du corps. Ainsi, l'agonisant ne souffre pas autant que se l'imagine un être en pleine possession de ses moyens. En observant la façon dont meurent les gens du peuple, Montaigne apprend également que, mieux que dans les livres, les hommes trouvent en eux-mêmes des ressources qui leur permettent d'affronter la mort. Aucun paysan de son voisinage ne se prépare à la mort : « Nature lui apprend à ne songer à la mort que quand il se meurt » (III, 12).

Il faut donc cesser de troubler la vie par le souci de la mort. En fait, une excessive préparation à la mort est plus pénible que la mort elle-même (III, 12). À y bien réfléchir, la mort n'est d'ailleurs pas un moment unique. Au cours de son existence, un individu connaît une série d'événements (souffrance, maladie, vieillesse), qui le font passer, comme la mort, d'un état dans un autre : «La mort se mêle et confond par tout à notre vie» (III, 13). Enfin, c'est la mort qui donne son prix à la vie, dont Montaigne veut profiter toujours davantage.

La « solution » des stoïciens

Le XVIe siècle se passionne pour les philosophes stoïciens, en particulier Sénèque*. Comme ses contemporains, Montaigne est un moment (1572-1580) séduit par la philosophie stoïcienne. Cette philosophie place le bonheur dans la vertu et professe l'indifférence devant tout ce qui affecte la sensibilité, comme par exemple la douleur. Selon cette doctrine, on peut, au prix d'un constant exercice (une ascèse), se rendre supérieur aux maux de la condition humaine par impassibilité. La Boétie, dont Montaigne admire l'élévation morale et la fermeté devant la mort[1], incarne pour lui le stoïcisme.

Cependant, Montaigne reproche au stoïcisme de ne pas voir la réalité de la douleur en face et de ne «débattre que du mot» (I, 14). La philosophie stoïque ne tient pas compte de l'interdépendance de l'âme et du corps chez l'homme. En considérant qu'il n'y a pas de vices plus graves que d'autres, les stoïciens vont à l'encontre du bon sens et de la justice les plus élémentaires. Montaigne l'explique en analysant l'ivrognerie (chapitre II, 2, du même nom) : faire la part égale à tous les péchés, c'est favoriser indûment «les meurtriers, les traîtres, les tyrans».

Petit à petit, Montaigne en vient même à mettre en cause la notion de vertu stoïque, qui est en réalité un effort entrepris contre la nature. À ce raidissement contre le vice, il préfère une bonté qui serait naturellement éloignée du mal. Le sage ferait beaucoup mieux d'aimer les

---

1. Une lettre de Montaigne à son père (coll. «Bibliothèque de la Pléiade», p. 1347) en témoigne.

dons de Nature : la santé, la beauté (III, 12), les plaisirs de l'esprit et les plaisirs du corps.

FAUT-IL DOUTER DE TOUT ?

C'est en lisant, à l'âge de quarante-huit ans (1575-1576), les *Hypotyposes [esquisses] pyrrhoniennes,* éditées en 1562, que Montaigne se familiarise avec la philosophie sceptique. L'auteur de ce livre, Sextus Empiricus, philosophe et médecin grec du IIIe siècle, entreprend de clarifier la pensée de Pyrrhon, pour qui l'homme ne peut pas atteindre la vérité : les sens font illusion, et les jugements sur une même question se contredisent. Il ne reste plus que le doute.

La perception de la réalité

Les *Essais* portent la trace de cette lecture, en particulier l'« Apologie de Raymond Sebond » qui passe en revue les doctrines philosophiques. Elles ne sont que des opinions, incapables d'atteindre la vérité. Leur pluralité et leur diversité jettent le doute sur l'aptitude des hommes à bien juger : ils ne perçoivent de la réalité que des apparences déformées par leurs perceptions sensorielles. Les impostures de la vue et de l'ouïe en particulier montrent qu'on ne peut se fier aux sens. Un bâton plongé dans l'eau apparaît courbe par une illusion d'optique. Les sens et le corps de façon générale jouent un rôle capital dans notre appréhension des choses : « Si ma santé me rit [...], me voilà honnête homme [je me comporte correctement], si j'ai un cor qui me presse l'orteil, me voilà renfrogné » (II, 12). En retour, l'imagination trompe encore les sens et contredit l'apparence externe. C'est l'expérience du vertige : alors même qu'il n'y a pas de risque de chute, chacun craint de tomber s'il doit marcher au-dessus d'un précipice (→ LECTURE 3).

« Que sais-je ? »

Il ne nous reste plus qu'à reconnaître notre ignorance et notre instabilité, car, pris dans le mouvement de l'univers, nous passons d'un état d'esprit à un autre. En 1576, Montaigne fait frapper une médaille où figurent une balance et une devise en grec : « Que sais-je ? » Il préfère la tournure interrogative à l'affirmation « je doute », qui émettrait trop de certitude. Il faut se garder des assertions trop catégoriques, du fait que le jugement correspond à « la mesure de ma vue, non [à] la mesure des choses » (II, 10).

Cela étant, Montaigne ne s'abstient pas de juger; il a simplement conscience du caractère subjectif, et parfois même provisoire, de son jugement. Le pyrrhonisme le conduit à privilégier l'expérience aux dépens d'une réflexion coupée du réel.

LA SAGESSE DE MONTAIGNE : UN ART DE VIVRE

La conception de la sagesse se fonde chez Montaigne sur la nature et sur l'expérience, qui seule permet de se connaître et d'éprouver sa différence (III, 13).

« Connais-toi toi-même[1] » (III, 9)

Aux hommes illustres par leur courage ou leur vertu, Montaigne préfère Socrate, soucieux de se connaître soi-même. Un tel souci implique de mobiliser toutes ses facultés d'intelligence et de sensibilité pour goûter les ressources de son être et les richesses de l'existence : « J'ai mis tous mes efforts à former ma vie, voilà mon métier et mon ouvrage » (II, 37).

Une vertu quotidienne

Vivre pour la montre, pour le regard des autres, c'est se soumettre à l'illusion. D'une part, les effets d'un acte sont souvent le fruit des circonstances, si bien qu'il vaut mieux se fier au comportement quotidien d'un homme qu'à ses élans exceptionnels : l'on peut être courageux par hasard ou constant par obligation. D'autre part, la recherche de gloire éloigne l'homme de soi-même en le poussant à s'engager dans la vie publique. Or les charges sociales ou les

1. Montaigne reprend cette devise, inscrite au fronton du temple de Delphes.

responsabilités politiques ne sont que des «rôles» : «La plupart de nos vacations [occupations] sont farcesques [relèvent du théâtre]» (III, 10).

La solitude

Pour se connaître véritablement, il faut se retirer de la foule, se «réserver une arrière-boutique tout nôtre» (I, 39), car seule la solitude permet de se regarder paisiblement[1] («De la solitude», I, 39; «De ménager sa volonté», III, 10). «Être à soi» signifie non pas se complaire en soi-même, mais s'observer lucidement, ce que l'on ne peut faire qu'en abandonnant «avec les autres voluptés celle qui vient de l'approbation d'autrui[2]» (I, 39). Du fait que l'on peut se tromper soi-même, il importe de se donner des modèles, comme Caton* ou Phocion*, pour savoir bien se gouverner dans la solitude. Enfin et surtout, il n'y a pas de véritable tranquillité pour l'homme sans l'approbation de sa conscience :

> Le vice laisse, comme un ulcère en la chair, une repentance en l'âme qui toujours s'égratigne et s'ensanglante elle-même [...]. Il n'est pareillement bonté qui ne réjouisse une âme bien née. (III, 2)

« Nature est un doux guide »

Pour Montaigne, le bonheur consiste en l'harmonie de l'homme avec lui-même, ici-bas. Jouir de soi implique de cultiver sa vie intérieure, parce qu'il faut savoir rester soi-même si l'on veut avoir quelque chose à donner à autrui. Cela signifie également de savoir reconnaître et savourer les plaisirs simples – matériels ou spirituels – qui sont à la portée de chacun. La Nature est «un doux guide, mais non moins doux que prudent et juste» (III, 13). Elle protège tous les êtres animés et les conduit avec douceur «à toutes les actions et commodités de la vie» (II, 12). Elle a ainsi rendu voluptueux les actes nécessaires à la vie, comme manger, dormir et faire l'amour (III, 13).

---

1. Pascal reprend cette idée au XVIIe siècle : «Le grand malheur de l'homme vient de ce qu'il ne sait pas demeurer en repos dans une chambre», *Pensées*.

2. Parce qu'ils sont constamment leurrés par la flatterie et l'approbation du grand nombre, les rois sont, moins que les autres, capables d'être heureux et lucides.

L'homme lui doit ce qu'il a de plus précieux : la santé, la beauté physique, les plaisirs. Pas seulement les plaisirs du corps, mais aussi ceux de l'esprit : la lecture (II, 10 ; III, 3) et la conversation, qui est « le plus fructueux et naturel exercice de notre esprit » (III, 8).

Car Montaigne lie sa philosophie de la nature à la connaissance de soi. Il faut s'abandonner au plaisir de l'instant sans se laisser troubler par rien d'autre : « Quand je danse, je danse » (III, 12). On doit moins être jugé à la façon dont on meurt qu'à celle dont on vit : « À mon avis, c'est le vivre heureusement [...] qui fait l'humaine félicité » (III, 2).

Modérer ses désirs

Cette recherche du bonheur débouche sur une morale de la modération mais sans excès : « Le bonheur m'est un singulier aiguillon à la modération et à la modestie » (III, 9). Il importe de se détacher des biens matériels afin de ne pas souffrir des adversités et de savoir limiter ses occupations. Non pour ne pas agir, mais pour conquérir le calme intérieur nécessaire à l'action : le sage « n'a rien perdu, s'il a soi-même » (III, 10). C'est pourquoi Montaigne se méfie de la colère, de l'ivresse qui font perdre à un homme « la connaissance et le gouvernement de soi » (II, 2).

Lorsqu'il met l'accent sur la modération des passions, Montaigne pense à toutes les passions, y compris l'aspiration à la vertu : « ... on peut et trop aimer la vertu, et se porter excessivement en une action juste » (I, 30). Il n'approuve guère la haine de soi-même, celle dont fit preuve Spurina (résumé du chapitre II, 33, p. 22), qui se défigura pour éviter que sa beauté ne le corrompe. Par là, Montaigne annonce l'idéal de l'honnête homme qui définira l'âge classique, celui que Molière exprimera dans *Le Misanthrope* : « Il faut de par le monde une vertu traitable », et que Pascal lui-même éclaire : « L'homme n'est ni ange ni bête, mais le malheur est que qui veut faire l'ange fait la bête. »

9 L'écriture des *Essais*

« UN PARLER SIMPLE ET NAÏF »

Le refus de la rhétorique*

La fidélité requise par la recherche de soi explique l'hostilité de Montaigne à toute rhétorique : l'ornementation de la phrase risque de défigurer la pensée. Car ce qui compte, ce n'est pas « bien dire [...] c'est bien penser » (III, 5). Cela ne l'empêche pas de s'interroger sur l'écriture : comment trouver le mot juste pour traduire telle idée ? Comment énoncer clairement ce qui tient à la fois du conscient et de l'inconscient chez l'homme ? Pour que le style serve la pensée, Montaigne s'efforce de rester le plus près possible de l'impression concrète : « Le parler que j'aime, c'est un parler simple et naïf, tel sur le papier qu'en la bouche » (I, 26).

Les figures de style

Même s'il dit refuser le « fard » de la rhétorique (III, 12), Montaigne recourt souvent à des figures qui lui permettent d'éviter l'abstraction. Son goût pour les mots et les variations de sens le conduit à utiliser un même terme dans une phrase où il reçoit deux acceptions différentes : « L'esprit ne saisit [comprend] pas clairement ce qu'il saisit [appréhende par la pensée] » (II, 12). Son refus de l'affirmation catégorique explique sa tendance à redoubler les mots et à nuancer sa pensée : « un parler succulent et nerveux, court et serré » (I, 26).

Les antithèses

Montaigne se sert d'antithèses qui clarifient la présentation d'une opposition : « Le plus vieil et mieux connu mal est toujours plus supportable que le mal récent et inexpérimenté» (III, 9), ou bien pour désigner le jeu social et la distance qu'il faut garder par rapport au rôle que l'on joue : «C'est assez de s'enfariner le visage sans s'enfariner la poitrine» (III, 10). Il renforce ces antithèses en les disposant de façon symétrique et en les modelant sur des paronymes (jeux sur les ressemblances phoniques) : «Ils laissent là les choses, et s'amusent à traiter des causes[1] » (III, 11).

Les comparaisons et les métaphores

Toujours soucieux de faire voir concrètement ce dont il parle, Montaigne propose beaucoup de comparaisons familières : «La méchanceté fabrique des tourments contre soi, comme la mouche guêpe [la guêpe] pique et offense autrui» (II, 5) ; ou encore : «Le vice laisse, comme un ulcère en la chair, une repentance en l'âme» (III, 2). Ailleurs, il représente la mort grâce à l'image concrète du ver de terre, qui lui permet de démystifier la grandeur des rois, et de dédramatiser la mort : «C'est le déjeuner d'un petit ver que le cœur et la vie d'un grand et triomphant empereur» (II, 12). Il recourt aussi à la métaphore, par exemple pour évoquer la formation de l'esprit critique : «Qu'on lui fasse tout passer par l'étamine [au crible du jugement], et ne loge rien en sa tête par simple autorité et à crédit» (I, 26).

L'ironie

L'écriture de Montaigne est enfin empreinte de beaucoup d'ironie qui consiste à dire le contraire de ce qu'on veut faire penser. Il conclut son chapitre «Des cannibales» (I, 31) en faisant entendre le jugement que portent ses contemporains sur les Brésiliens : «Mais quoi! Ils ne portent point de hauts de chausses.» La mention de ce détail vestimentaire lui permet de dénoncer l'étroitesse d'un jugement qui ne s'attache qu'à l'apparence.

---

1. Avant de s'assurer que les faits existent, les hommes cherchent à les expliquer.

La phrase incisive

Le plus souvent, Montaigne s'efforce d'adapter le caractère naturel de son expression à la simplicité de son sujet. Tantôt, imitant Sénèque, il pratique une écriture incisive : « La peste de l'homme, c'est l'opinion [le désir] de savoir » (II, 12). La concision de l'expression impose au lecteur un travail grâce auquel il communique avec l'auteur, comme dans la « conférence » (III, 8). À la fin du chapitre II, 5 (« De la conscience »), Montaigne commente ainsi une exécution expéditive : « Condamnation instructive », c'est-à-dire « qui a servi d'instruction ». Il signifie par là que la condamnation de la personne s'est substituée à l'enquête judiciaire.

La phrase à compartiments

Mais, accordant le rythme de la phrase à son contenu, Montaigne recourt aussi à la phrase longue[1] qui, interrompue par une série d'incises (propositions entre virgules), embrasse les aspects divers et les sinuosités d'une même pensée en s'appuyant sur des participes :

> Est-il possible de rien imaginer [de] si ridicule que cette misérable et chétive créature, qui n'est pas seulement maîtresse de soi, exposée aux offenses de toutes choses, se dise maîtresse et impératrice de l'univers, duquel il n'est pas en sa puissance de connaître la moindre partie, tant s'en faut [à plus forte raison] de la commander ? (II, 12)

Faire l'expérience de la réflexion, c'est accepter de livrer au lecteur une pensée inachevée, ouverte, qui fait des tours et des détours pour traiter un sujet. Ce type de phrase à compartiments fait apparaître les fluctuations de la réflexion et traduit la diversité du monde ou de l'homme :

> Là, je feuillette à cette heure un livre, à cette heure un autre, sans ordre et sans dessein, à pièces décousues ; tantôt je rêve, tantôt j'enregistre et dicte, en me promenant, mes songes que voici. (III, 3)

1. → Lecture 3.

LA STRATÉGIE ARGUMENTATIVE

Montaigne cherche moins à convaincre par des arguments qu'à faire réfléchir le lecteur.

L'accumulation des exemples

Il livre ainsi ses observations, confronte des exemples contradictoires, propose une anecdote pour soutenir une idée, puis en relate une autre qui contredit la première. À la fin du chapitre « Des boiteux » (III, 11), Montaigne évoque les capacités sexuelles des boiteuses puis des tisserandes : la rumeur qui leur attribue ces capacités appartient aux illusions que fabrique l'imagination. De même, la croyance aux sorcières a pris corps dans l'opinion publique par une cascade de témoignages non vérifiés, si bien que la rumeur a voilé la réalité : on évoque les méfaits des sorcières sans se soucier même de prouver qu'elles existent.

L'argumentation par récurrence

Souvent, c'est par la récurrence des sujets traités que Montaigne cherche à convaincre : il revient sur la crainte de la mort (dans les chapitres I, 20; II, 6, 37; III, 12, 13), ou bien il s'indigne contre toutes les pratiques cruelles (II, 5, 11, 12, 27; III, 1). La fin du chapitre II, 5 (« De la conscience ») réfléchit à l'utilité de la torture et se place sur le terrain de la logique judiciaire, non sur le plan moral : « C'est une dangereuse invention que celle des géhennes, et semble que ce soit plutôt un essai de patience [une épreuve d'endurance] que de vérité. » La torture risque de ne pas établir la vérité. D'une part, sous l'effet de la douleur, le torturé peut parler pour plaire à ses bourreaux et faire cesser son supplice; d'autre part, en entraînant fatigue et confusion mentale, la douleur est impropre à la révélation de la vérité. Le raisonnement obéit d'abord à la logique commune : « Car pourquoi la douleur me fera-t-elle plutôt confesser ce qui en est, qu'elle ne me forcera de dire ce qui n'est pas ? » Puis, Montaigne remet en cause la conception qui fondait l'usage de la question judiciaire : on pensait que la conscience de l'innocent l'aidait à supporter la souffrance tandis que les remords du coupable le conduisaient à s'effondrer. Montaigne renverse la perspective pour regarder la situation comme le ferait un coupable : torturé, il a tout avantage à se taire puisqu'il sauve sa tête (« un si beau guerdon que la vie lui étant proposé »). Et il en vient à accuser le juge : « D'où il advient que celui que le juge a géhenné pour ne le faire mourir innocent, il le fasse mourir et innocent et géhenné ». Soit en effet il est persuadé de la culpabilité de celui qu'il torture, et il veut en arrachant un aveu apaiser sa propre conscience, soit il ne sait pas, et alors il emploie le pire des moyens pour s'enquérir. Dialogue avec les partisans de la torture, l'argumentation cherche à modifier leur regard.

Le plaidoyer

Il arrive encore à l'auteur des *Essais* de plaider. Son « Apologie » de Raymond Sebond est en réalité une offensive contre le théologien, auquel Montaigne oppose la faiblesse de la raison en accumulant les contradictions des philosophes. Enfin, il prend la défense des cannibales (I, 31) et dénonce l'aveuglement dû à l'usage et à l'accoutumance qui fait qualifier de « barbare » ce qui est simplement autre : « Or je trouve qu'il n'y a rien de barbare et de sauvage en cette nation, sinon que chacun appelle barbarie ce qui n'est pas de son usage. » En associant les deux adjectifs, Montaigne élargit leur acception tout en rejoignant leur étymologie : « barbare » ne signifie plus « brutal, inhumain », mais simplement « étranger » (« non grec »), de même que « sauvage » ne signifie plus « non civilisé » mais « proche de la nature » (« *silvaticus* »). En passant de l'impersonnel « il y a » au verbe « appeler », Montaigne a relativisé la barbarie, devenue affaire d'appellation, et sapé un préjugé.

Loin des « effets de manche » rhétoriques, l'écriture des *Essais* cherche à poser un autre regard sur les choses.

DEUXIÈME PARTIE

Cinq lectures analytiques

Texte 1 | De l'institution des enfants[1]

(I, 26)

La charge du gouverneur que vous lui donnerez, du choix duquel dépend tout l'effet[2] de son institution, elle a plusieurs autres grandes parties, mais je n'y touche point, pour n'y savoir rien apporter qui vaille, et de cet article, sur lequel
5 je me mêle de lui donner avis, il m'en croira autant qu'il en verra d'apparence[3]. À un enfant de maison[4] qui recherche les lettres[5] non pour le gain (car une fin si abjecte est indigne de la grâce et faveur des Muses[6], et puis elle regarde et dépend d'autrui) ni tant pour les commodités externes
10 que pour les siennes propres, et pour s'en enrichir et parer au-dedans, ayant plutôt envie d'en réussir habile homme[7] qu'homme savant, je voudrais aussi qu'on fût soigneux de lui choisir un conducteur qui eût plutôt la tête bien faite que bien pleine : et qu'on y requît tous les deux, mais plus les
15 mœurs et l'entendement que la science, et qu'il se conduisît en sa charge d'une nouvelle manière. On ne cesse de criailler à nos oreilles, comme qui verserait[8] dans un entonnoir, et notre charge[9], ce n'est que redire ce qu'on nous a dit. Je voudrais qu'il corrigeât cette partie[10], et que de belle arri-
20 vée[11], selon la portée[12] de l'âme qu'il a en main, il commençât à la mettre sur la montre[13], lui faisant goûter les choses, les choisir et discerner d'elle-même, quelquefois lui

---

1. Les extraits proposés viennent de l'édition des *Essais* à la Pochothèque. J'ai actualisé la ponctuation mais repris les notes.
2. l'efficacité
3. de raison
4. un enfant noble
5. ou humanités : langues et littératures anciennes, histoire, poésie, philosophie
6. déesses de la connaissance
7. d'en devenir honnête homme
8. comme si l'on versait
9. notre rôle
10. ce point
11. dès l'abord
12. la capacité à comprendre
13. sur la piste d'équitation

ouvrant le chemin, quelquefois le lui laissant ouvrir. Je ne veux pas qu'il invente et parle seul, je veux qu'il écoute son
25 disciple parler à son tour. Socrate, et depuis Arcésilas[1]*, faisaient premièrement parler leurs disciples, et puis ils parlaient à eux. *Obest plerumque iis, qui discere volunt, auctoritas eorum, qui docent*[2] [À ceux qui veulent apprendre l'autorité de ceux qui enseignent fait obstacle]. Il est bon qu'il le fasse
30 trotter devant lui pour juger de son train, et juger jusqu'à quel point il se doit ravaler[3] pour s'accommoder à sa force. À faute de cette proportion[4], nous gâtons tout. Et de la savoir choisir, et s'y conduire bien mesurément, c'est une des plus ardues besognes que je sache, et est l'effet d'une
35 haute âme et bien forte, savoir condescendre à ses allures puériles et les guider. Je marche plus ferme et plus sûr à mont qu'à val[5]. Ceux qui, comme notre usage porte[6], entreprennent d'une même leçon et pareille mesure de conduite régenter[7] plusieurs esprits de si diverses mesures et formes,
40 ce n'est pas merveille si en tout un peuple d'enfants, ils en rencontrent à peine deux ou trois qui rapportent[8] quelque juste fruit de leur discipline[9]. Qu'il ne lui demande pas seulement compte des mots de sa leçon, mais du sens et de la substance. Et qu'il juge du profit qu'il aura fait, non par le
45 témoignage de sa mémoire, mais de sa vie. Que ce qu'il viendra d'apprendre, il le lui fasse mettre en cent visages et accommoder à autant de divers sujets, pour voir s'il l'a encore[10] bien pris et bien fait sien, prenant l'instruction à son progrès des pédagogismes[11] de Platon.

1. Il fonda pour combattre les stoïciens la nouvelle Académie, l'Académie désignant l'école de Platon.
2. Cicéron
3. rabaisser
4. faute de cette adaptation
5. en montant qu'en descendant
6. comme le veut notre usage
7. faire la classe à
8. retirent
9. enseignement
10. alors
11. s'instruisant pour progresser dans les principes pédagogiques

INTRODUCTION

Le chapitre 26 est le plus long du premier livre des *Essais*. Dédié à une future mère, Mme de Foix, il traite de l'éducation. Envisageant le point de vue du maître, le chapitre précédent condamne une pédagogie désastreuse qui met l'accent sur la mémoire sans former les esprits. Ici, Montaigne oppose la formation du jugement au remplissage de la mémoire. Cet apprentissage se fera de façon pragmatique, par l'exemple, et jouera sur le désir de l'enfant, ce qui explique la nécessité du précepteur qui établit avec l'enfant une relation personnelle. On étudiera le caractère polémique de cette page qui remet en cause une pédagogie jugée dépassée, pour se pencher ensuite sur le rôle du précepteur.

PREMIER AXE DE LECTURE
LE CARACTÈRE POLÉMIQUE DU TEXTE

En parlant de « nouvelle manière », Montaigne signale qu'il s'inscrit en faux contre l'enseignement tel qu'il a été pratiqué longtemps. Mais avant de proposer ses méthodes et ses objectifs, Montaigne exprime fermement un certain nombre de refus.

Refus du pédantisme

C'est ainsi qu'il précise d'abord de manière négative l'objectif fixé à l'apprentissage : « non pour le gain ». Montaigne reprend la critique adressée par le chapitre précédent aux « pédants » : les maîtres d'école qui enseignent pour gagner leur vie dénaturent la connaissance, qui ne saurait se monnayer. La justification alléguée « (car une fin si abjecte est indigne de la grâce et faveur des Muses) » montre à quel point Montaigne estime la connaissance. Son acquisition ne doit pas être orientée vers autrui, qu'il s'agisse de faire parade ou de répondre à des besoins extérieurs : « ni tant pour les commodités externes ». Sans prendre la peine de préciser ces « commodités », Montaigne rejette une connaissance utilitaire. Il reprend par antithèse l'idée du «gain» pour signifier qu'il s'agit d'apprendre pour soi : «pour s'en enrichir et parer au dedans». On reconnaît ici l'idée de Sénèque (*Lettres à Lucilius,* 74 et 88) préconisant une acquisition désintéressée de la culture et des arts libéraux (les lettres) qui rendent l'homme libre par la réflexion et le recul qu'ils lui permettent.

Refus de la science

Autre refus, paradoxal à première vue : le refus de la science. Ce refus s'exprime dans la finalité assignée à l'éducation : former «plutôt habile homme qu'homme savant». Ce refus signifie que la science ne suffit pas si elle n'aide pas à mieux vivre. L'«habile homme» sait se comporter avec les autres et s'adapter aux difficultés (comme l'honnête homme du XVIIe siècle). Voilà qui doit caractériser aussi le précepteur. La relative au subjonctif «qui eût plutôt la tête bien faite que bien pleine» indique une condition non pas accessoire mais nécessaire. Montaigne n'exclut pas radicalement la science : il se contente de lui retirer le premier rang. Ce qui prévaut, ce sont «plus les mœurs et l'entendement que la science». Refusant d'associer l'entendement à la science, Montaigne change les perspectives pour opposer le jugement à la mémoire.

Cette préférence accordée au jugement apparaît deux fois ici. D'abord parce que Montaigne s'élève avec force contre un enseignement fondé sur l'apprentissage par cœur[1]. Cet apprentissage est assimilé à un gavage : «On ne cesse de criailler à nos oreilles, comme qui verserait dans un entonnoir, et notre charge, ce n'est que redire ce qu'on nous a dit.» L'emploi du présent gnomique et du pronom indéfini «on» montre que cette pédagogie de la mémoire n'est pas encore dépassée et souligne donc implicitement la nouveauté de Montaigne. Le caractère très péjoratif du verbe «criailler», précédé du verbe «on ne cesse de», suggère la lassitude de l'élève. Le verbe «criailler» indique encore que la manière d'enseigner peut anéantir le contenu : la voix du maître est intolérable, si bien que le sens de ses

1. Comme déjà dans le chapitre I, 25 : «Nous ne travaillons qu'à remplir la mémoire, et laissons l'entendement et la conscience vide.»

paroles se perd. Enfin, l'apprentissage fondé sur la mémoire ne met pas en jeu le jugement ni l'esprit critique : « Notre charge, ce n'est que redire ce qu'on nous a dit. » La répétition du verbe « dire » suggère la stérilité mécanique de la répétition qui n'exige de l'élève aucun effort de réflexion.

Refus de l'enseignement collectif

Montaigne refuse encore l'enseignement collectif, qui se développe au XVIe siècle par la création des collèges. La reprise du mot « mesure » et l'opposition des adjectifs « même », « pareille » à « plusieurs » et « diverses » soulignent l'inadéquation d'une pédagogie qui propose « même leçon et pareille mesure » à « plusieurs esprits de si diverses mesures et formes ». La phrase suivante insiste sur cette idée en opposant « tout un peuple d'enfants » à « deux ou trois qui rapportent quelque juste fruit de leur discipline ». Le maître qui s'adresse à plusieurs enfants à la fois ne peut les comprendre, ce qui hypothèque tout le contenu de son enseignement.

C'est pourquoi Montaigne propose un programme destiné à un seul élève : « un enfant de maison », c'est-à-dire un noble, et insiste sur le choix d'un précepteur, qui incarne la « nouvelle manière ».

SECOND AXE DE LECTURE
UNE « NOUVELLE MANIÈRE »

Le rôle du précepteur : un conducteur

Le précepteur doit avoir « la tête bien faite ». Capable de penser avec ordre et méthode, mais capable aussi de se conduire, il doit être lui-même un modèle du résultat à obtenir. Le rôle qu'il tient auprès de l'enfant à éduquer est intellectuel et moral.

L'appellation de « gouverneur » et la relative « du choix duquel dépend tout l'effet de son institution » mettent l'accent sur la responsabilité du précepteur, qui joue un rôle essentiel dans l'apprentissage : il doit comprendre le caractère de son élève, respecter sa nature individuelle et le conduire avec douceur, car une mauvaise éducation résulte souvent d'un tempérament contrarié. Plus tard, Montaigne parle de « conducteur », sans doute par référence à Platon qui parle de « conducteur d'âme ». Tournant le dos à l'enseignement magistral, le précepteur pèse l'âme de l'enfant qu'il doit former. Pour juger les capacités de l'élève qu'on lui confie, il est appelé à le mettre à l'épreuve « de belle arrivée ». L'expression « mettre sur la montre » indique qu'il faut faire évoluer l'enfant seul, au lieu de le dresser : « Il est bon qu'il le fasse trotter devant lui. » Ce vocabulaire concret et les images empruntées à l'équitation traduisent le caractère pragmatique de ce travail : juger, c'est peser, évaluer, essayer. Autant d'activités qui définiront encore le travail de l'enfant qui apprend.

L'initiative de l'élève

Une part d'initiative est laissée à l'enfant, qui n'est pas une pâte molle dans les mains du précepteur. En effet, le désir d'apprendre, la « motivation » comptent dans l'apprentissage : l'enfant n'apprendra que s'il en a envie. C'est ce que traduit bien l'expression « lui faisant goûter les choses », qui combine l'activité de l'enfant et son désir. Ce désir, Montaigne l'évoque dans la première phrase du texte : « À un enfant de maison qui recherche les lettres... » Sans cette recherche, sans cet effort de l'élève, tout effort d'enseignement est inutile. C'est pourquoi l'éducation passe par le dialogue. On ne s'étonne pas que les modèles du précepteur s'appellent « Socrate, et depuis Arcésilas » : Socrate fondait tout son enseignement sur le dialogue et la maïeutique, art d'accoucher les esprits. Quant à Arcésilas, il renouvela la coutume de Socrate et « voulut que ceux qui voudraient apprendre quelque chose de lui commençassent par dire eux-mêmes leurs sentiments, au lieu de l'interroger : après quoi il parlait à son tour, mais en laissant toujours à ceux qui venaient l'entendre la liberté de soutenir leur opinion contre lui, tant qu'ils trouveraient à lui répondre » (explique Cicéron). C'est dire que loin de ressembler aux « pédants » autoritaires, le précepteur établit avec l'enfant un dialogue : « Je ne veux pas qu'il invente et parle seul : je veux qu'il écoute son disciple parler à son tour. » L'alternance que formule le balancement des deux propositions « je ne veux pas/je veux » décrit bien l'échange qui doit exister entre le maître et l'élève. De même, les tournures binaires dans la phrase précédente : « quelquefois lui ouvrant le chemin, quelquefois le lui laissant ouvrir », insistent sur ce dialogue. L'échange entre l'élève et son précepteur constitue une inversion de l'ancienne manière qui voulait que seul l'élève écoutât.

L'établissement de ce dialogue exige que le précepteur se mette à la portée de l'élève, qu'il le fasse « trotter » afin de juger « jusques à quel point il se doit ravaler pour s'accommoder à sa force ». Montaigne suggère la difficulté qui consiste à « condescendre à ses allures puériles », en comparant cet effort avec l'exercice physique : « Je marche plus sûr à mont qu'à val. » Sous l'apparence du paradoxe : « est l'effet d'une haute âme et bien forte, savoir condescendre », l'expression révèle que seul un esprit élevé est capable de cette simplification. Cette adaptation est effort permanent (« c'est une des plus ardues besognes que je sache » que de « s'y conduire bien mesurément ») et pourtant indispensable à la transmission de connaissances et de méthodes : « À défaut de cette proportion, nous gâtons tout. »

L'acquisition de méthodes

L'insistance de Montaigne sur cet échange révèle qu'il s'intéresse moins à des contenus d'enseignement qu'à l'acquisition de méthodes : il parle de « chemin » (« quelquefois lui ouvrant le chemin »), ce qui traduit en français le grec « méthode ». Il relègue dans l'indéfini le contenu de l'apprentissage : « Que ce qu'il viendra d'apprendre » et se distingue par là de Rabelais qui énumérait des sciences. Chez Montaigne, c'est la façon d'apprendre qui compte. Les trois verbes « goûter », « choisir » et « discerner » désignent l'activité du jugement qui est avant tout lucidité et tri (critique vient de « *crisis* », crible en grec).

À la mémoire mécanique (celle qui se rappelle les mots) est substituée la faculté de raisonner, qu'il faut développer chez l'élève (par identité avec le précepteur) : « Qu'il [le précepteur] ne lui demande pas seulement compte des mots de sa leçon, mais du sens et de la substance. ». L'enseignement a pour finalité de se traduire en actions concrètes, en conduite morale, non de se stocker dans l'esprit : c'est ce qu'indique bien l'opposition « non par le témoignage de sa mémoire, mais de sa vie ». La vérification, la preuve de la compréhension se trouve dans les exercices d'application (dont Montaigne souligne le nombre) qui doivent suivre immédiatement l'acquisition, comme l'indique le verbe au passé proche : « Que ce qu'il viendra d'apprendre, il le lui fasse mettre en cent visages, et accommoder à autant de divers sujets. ». Il s'agit de s'assimiler la connaissance « pour voir s'il l'a bien pris et bien fait sien ». La métaphore de la nourriture et la répétition de l'adverbe « bien » soulignent que l'apprentissage a pour fin de se construire soi-même, quitte à oublier de qui ou de quoi on s'est nourri. Plus loin dans ce chapitre, Montaigne dit ainsi : « ... s'il embrasse les opinions de Xénophon et de Platon par son propre discours [raisonnement] ce ne seront plus les leurs, ce seront les siennes. »

CONCLUSION

Cette page éclairée d'images nerveuses et concrètes marque la volonté d'en finir avec une pédagogie fondée sur l'autoritarisme et le dogmatisme qui rendent plus savant sans rendre meilleur ni plus sage. Construite sur le dialogue, l'éducation que Montaigne appelle de ses vœux est développement du jugement, préambule à toute acquisition. L'identité que l'on observe entre les efforts requis du maître et de l'élève suggère que le moteur de l'éducation réussie est l'exemple, nourri par le goût. Quant à la finalité de cette éducation qui ne forme pas « un savanteau » mais un homme, elle est essentiellement morale, au sens large du terme : savoir se conduire ne se limite pas à respecter le bien et le mal, c'est bien davantage se montrer capable de discernement, de mesure et de modération, mais aussi savoir écouter et dialoguer.

Texte 2 De l'amitié

(I, 28)

Au demeurant, ce que nous appelons ordinairement amis et amitiés, ce ne sont qu'accointances et familiarités nouées par quelque occasion[1] ou commodité, par le moyen de laquelle nos âmes s'entretiennent. En l'amitié de quoi je 5 parle, elles se mêlent et confondent l'une en l'autre d'un mélange si universel[2] qu'elles effacent, et ne retrouvent plus la couture qui les a jointes. Si on me presse de dire pourquoi je l'aimais, je sens que cela ne se peut exprimer qu'en répondant : Parce que c'était lui, parce que c'était moi. Il y a au- 10 delà de tout mon discours, et de ce que j'en puis dire particulièrement, je ne sais quelle force inexplicable et fatale[3], médiatrice[4] de cette union. Nous nous cherchions avant que de nous être vus, et par des rapports que nous oyions[5] l'un de l'autre qui faisaient en notre affection plus d'effort que 15 ne porte la raison des rapports[6], je crois par quelque ordonnance du ciel. Nous nous embrassions par nos noms[7]. Et à notre première rencontre, qui fut par hasard en une grande fête et compagnie de ville, nous nous trouvâmes si pris, si connus, si obligés entre nous, que rien dès lors ne nous fut 20 si proche que l'un à l'autre. Il écrivit une Satire Latine excellente, qui est publiée, par laquelle il excuse et explique la précipitation de notre intelligence[8], si promptement parvenue à sa perfection. Ayant si peu à durer et ayant si tard commencé (car nous étions tous deux hommes faits : et lui 25 plus de quelque année[9]) elle n'avait point à perdre temps. Et

1. hasard
2. absolu
3. voulue par le destin
4. qui a servi d'intermédiaire dans
5. entendions
6. plus d'effet que n'en exerce normalement la connaissance par ouï-dire
7. Nous nous sommes d'abord connus de nom.
8. la rapidité de notre bonne entente
9. La Boétie avait trois ans de plus que Montaigne.

25 n'avait à se régler au patron[1] des amitiés molles et régulières, auxquelles il faut tant de précautions de longue et préalable conversation[2]. Celle-ci n'a point d'autre idée[3] que d'elle-même, et ne se peut rapporter qu'à soi. Ce n'est pas une spéciale considération, ni deux, ni trois, ni quatre, ni
30 mille : c'est je ne sais quelle quintessence de tout ce mélange, qui ayant saisi toute ma volonté l'amena se plonger et se perdre dans la sienne, qui ayant saisi toute sa volonté l'amena se plonger et se perdre en la mienne, d'une faim, d'une concurrence[4] pareille. Je dis perdre à la vérité,
35 ne nous réservant rien qui nous fût propre, ni qui fût ou sien ou mien.

INTRODUCTION

Montaigne situe au centre même du premier livre le récit de son expérience de l'amitié. Il distingue l'amitié entre deux hommes adultes des autres types de relations que l'on appelle par abus de langage «amitiés». Entre un père et un enfant, on ne saurait parler d'amitié, puisque cette relation n'implique ni choix ni parfaite réciprocité : le père corrige l'enfant, qui le respecte. Quant à la relation homosexuelle, courante chez les Grecs, elle excluait l'égalité, dans la mesure où l'un des deux partenaires était nettement plus âgé que l'autre. Fondée comme l'amitié sur un choix volontaire, la relation entre un homme et une femme n'a pas la stabilité de l'amitié puisque l'amour est prisonnier des passions (jalousie, désir), et que, sitôt rassasié, le désir physique s'évanouit.

Ce n'est pas là amitié, dit Montaigne : seule l'amitié entre deux hommes égaux mérite la palme. Refusant que soient qualifiées d'amitiés de simples relations, Montaigne leur oppose la fusion des âmes, qu'il a connue avec La Boétie. Il raconte ainsi leur rencontre

1. sur le modèle
2. échange
3. modèle
4. concours

exceptionnelle et suggère avec émotion que cette amitié, fondée sur une reconnaissance mutuelle, constitue une expérience ineffable.

PREMIER AXE DE LECTURE UNE AMITIÉ EXCEPTIONNELLE

Tandis que les «accointances» ordinaires se nouent par l'effet du hasard ou de l'intérêt, l'amitié de Montaigne et La Boétie est voulue par le destin, qui a mis en présence les deux hommes et les a fait se reconnaître et se fondre l'un dans l'autre.

Une amitié voulue par le destin

Plusieurs termes soulignent le caractère fatal de cette amitié. D'une part, des adjectifs indéfinis introduisent l'influence du Ciel : «(je) ne sais quelle force inexplicable et fatale, médiatrice de cette union», «je crois par quelque ordonnance du ciel». D'autre part, les deux amis sont mus l'un vers l'autre, comme le dit le pronom de la médiation «nous» : «Nous nous cherchions avant que de nous être vus.» Enfin, l'événement est interprété *a posteriori* : «ayant si peu à durer»; en effet, Montaigne ne pensait pas, en rencontrant La Boétie, qu'il mourrait si tôt. Cette réinterprétation crée une dramatisation qui renforce l'idée de prédestination : «elle n'avait point à perdre du temps». Montaigne répond ici à l'idée d'Aristote, selon lequel l'amitié a besoin de temps pour se construire.

Une amitié unique

Cette amitié est unique. En témoigne leur mutuelle reconnaissance lorsqu'ils se rencontrent «en une grande fête et assemblée nombreuse», alors qu'ils ne se sont encore jamais vus. Reconnaissance, parce que Montaigne et La Boétie sont déjà entrés en contact littéraire («des rapports que nous oyions l'un de l'autre») : Montaigne, en particulier, a lu certains textes de La Boétie, en particulier son *Discours de la servitude volontaire.* Il le dit peu avant notre texte : c'est ce livre qui lui «donna la première connaissance de son nom, acheminant ainsi cette amitié, que nous avons nourrie, tant que Dieu a voulu, entre nous, si entière et si parfaite». Cette rencontre exceptionnelle annonce déjà le caractère singulier d'une amitié qui échappe «au patron des amitiés molles et régulières». Montaigne a l'honnêteté de ne pas dénigrer ces amitiés ordinaires : certes, elles sont un lien entre les âmes («par le moyen de laquelle nos âmes s'entretiennent»). Pour autant, il les présente de façon restrictive : elles ne sont «qu'accointances et familiarités», relations sociales sans profondeur.

SECOND AXE DE LECTURE
UNE EXPÉRIENCE DES LIMITES

L'ineffable

Le caractère absolu des mots employés suggère que cette amitié exceptionnelle est expérience des limites, d'où la difficulté à traduire ce qui dépasse les mots. Souvent, Montaigne interrompt son récit pour souligner que son expérience n'a pas de commune mesure avec le langage ordinaire : «Il y a au-delà de tout mon discours [...] je ne sais quelle force inexplicable et fatale, médiatrice de cette union.» Les hésitations et les tournures négatives : «Je sens que cela ne se peut exprimer», ou encore «je ne sais quelle quintessence» laissent entendre l'émotion que continue d'éprouver Montaigne vingt-cinq ans après l'événement. Seul le temps lui a permis d'approcher l'inexplicable : «Parce que c'était lui, parce que c'était moi.» Ces deux propositions parfaitement symétriques et qui paraissent être le miroir l'une de l'autre ont été ajoutées l'une après l'autre sur l'«Exemplaire de Bordeaux» (c'est-à-dire dans une addition postérieure à 1588). Elles forment un alexandrin et semblent signifier que seul le langage poétique permet de faire comprendre le choix mutuel des deux amis.

La fusion

C'est dire que l'amitié est défi au langage. Ce défi, Montaigne cherche à le faire percevoir en recourant aux images de la fusion. Les amitiés ordinaires sont en vérité des relations dont les partenaires «s'entretiennent», là où l'amitié qui unit Montaigne à La Boétie est mélange. L'image chimique est renforcée par les verbes pronominaux qui marquent la fusion : «se mêlent», «se confondent». Plus loin, Montaigne revient sur cette idée d'alliage : «C'est je ne sais quelle quintessence de tout ce mélange qui, ayant saisi toute ma volonté, l'amena à se plonger et se perdre dans la mienne.» La répétition symétrique des termes permet de signifier l'égalité et la réciprocité totales de cette amitié qui est parfaite communication, alors que, dans les autres relations, règne souvent l'incompréhension. La véritable amitié change le sens des mots, et fait en particulier disparaître les notions d'identité et d'altérité : «Je dis perdre, à la vérité, ne nous réservant rien qui nous fût propre, ni qui fût ou sien ou mien.» Aucune parcelle des deux êtres n'échappe à cette fusion des volontés, qui unit les âmes dans l'égalité.

CONCLUSION

Remarquable par sa situation centrale mais surtout par sa tonalité ardente et mélancolique, ce texte met en valeur l'expérience unique de l'amitié dans l'existence de Montaigne. L'engagement absolu que représente l'amitié à ses yeux exclut en effet la possibilité d'avoir plusieurs amis. Il a perdu le seul confident qui pût lire en lui à livre ouvert, et c'est ainsi qu'il s'est trouvé contraint à l'introspection solitaire. Il a encore cherché à transformer en présence l'absence éternelle de son ami, puisque c'est grâce aux *Essais* que La Boétie se trouve immortalisé par la figure de l'ami exemplaire.

Texte 3 | Le vertige dans l'« Apologie de Raymond Sebond » (II, 12)

Qu'on loge un philosophe dans une cage de menus filets de fer clairsemés, qui soit suspendue au haut des tours Notre Dame de Paris : il verra par raison évidente qu'il est impossible qu'il en tombe, et si[1] ne se saurait garder (s'il n'a accoutumé le métier des couvreurs) que la vue de cette hauteur extrême ne l'épouvante et ne le transisse. Car nous avons assez affaire de nous assurer aux galeries qui sont en nos clochers, si elles sont façonnées à jour[2], encore qu'elles soient de pierre. Il y en a qui n'en peuvent pas seulement porter[3] la pensée. Qu'on jette une poutre entre ces deux tours, d'une grosseur telle qu'il nous la faut à nous promener dessus, il n'y a sagesse philosophique de si grande fermeté qui puisse nous donner courage d'y marcher comme nous ferions si elle était à terre. J'ai souvent essayé cela en nos montagnes de deçà, et si suis[4] de ceux qui ne s'effraient que médiocrement de telles choses, que je ne pouvais souffrir la vue de cette profondeur infinie sans horreur et tremblement de jarrets et de cuisses, encore qu'il s'en fallût bien ma longueur que je ne fusse du tout au bord[5], et n'eusse su choir, si je ne me fusse porté à escient au danger[6]. J'y remarquai aussi, quelque hauteur qu'il y eût, pourvu qu'en cette pente il s'y présentât un arbre ou bosse de rocher, pour soutenir un peu la vue et la diviser, que cela nous allège et nous donne assurance[7], comme si c'était chose de quoi à la chute nous pussions recevoir secours, mais que les précipices cou-

1. pourtant
2. à claire-voie
3. supporter
4. et pourtant je suis
5. alors que j'étais à plus d'un mètre soixante du bord.
6. et ne serais pas tombé, à moins de m'être volontairement exposé au danger.
7. nous rassure

pés[1] et unis, nous ne les pouvons pas seulement regarder sans tournoiement de tête : *ut despici sine vertigine simul oculorum animique non possit*[2] [de sorte qu'on ne peut regarder en bas sans que les yeux et l'esprit soient à la fois pris de
30 vertige], qui[3] est une évidente imposture de la vue. Ce fut pourquoi ce beau philosophe se creva les yeux pour décharger l'âme de la débauche qu'elle en recevait et pouvoir philosopher plus en liberté. Mais à ce compte, il se devait aussi faire étouper les oreilles, que Théophraste dit être le plus
35 dangereux instrument que nous ayons pour recevoir des impressions violentes à nous troubler et changer, et se devait[4] priver enfin de tous les autres sens, c'est-à-dire de son être et de sa vie. Car ils ont tous cette puissance de commander notre discours et notre âme.

INTRODUCTION

Dans l'« Apologie de Raymond Sebond », Montaigne souligne la vanité de la science et la fragilité de la raison humaine. Arrivant à la fin de ce long chapitre (qui occupe la moitié du deuxième livre des *Essais*), Montaigne s'intéresse aux erreurs des sens qui viennent brouiller la raison et la perception (c'est le cas des illusions d'optique). Il choisit l'exemple du vertige pour démontrer expérimentalement la faiblesse de la raison, pour souligner l'imposture de l'imagination, mais aussi pour se moquer des philosophes, qui ne sont pas à l'abri de cette imposture.

1. abrupts
2. Tite-Live
3. ce qui
4. aurait dû

PREMIER AXE DE LECTURE UNE DÉMONSTRATION PAR L'EXEMPLE

Le vertige n'est pas exactement une imposture des sens mais plutôt un effet de l'imagination[1]. Il se fonde sur un transfert un peu comparable à celui de la « vastité sombre » des églises qui prédispose à la piété. Les erreurs des sens viennent d'une mauvaise reconstruction par l'esprit des données de la sensation (c'est ainsi qu'un bâton vu dans l'eau apparaît courbe). L'imagination, elle, interpose entre l'homme et les choses des images mentales qui font écran à la réalité. La peur de tomber saisit celui qui n'est pas menacé de tomber, mais qui s'imagine sa chute.

Un raisonnement hypothétique

Pour le démontrer, Montaigne propose un raisonnement hypothétique, qu'il formule au subjonctif comme le fait un mathématicien (« soit un triangle ABC... ») : « Qu'on loge un philosophe... », « Qu'on jette une poutre... ». Proposées au début du texte, ces deux expériences hypothétiques sont étayées par des analogies avec les expériences que chacun peut faire : à la cage de fer « suspendue au haut des tours Notre Dame » sont comparées les « galeries qui sont en nos clochers », et à la « poutre entre ces deux tours » les promenades au bord d'un gouffre : « en nos montagnes de deçà ». L'expérience réelle (« J'ai souvent essayé cela ») confirme l'hypothèse. La seconde hypothèse vérifie la première en variant les conditions expérimentales.

Une forte articulation logique

Toute la page, qui présente un raisonnement un peu complexe, est composée selon une forte articulation logique. La première phrase fait ainsi passer de l'hypothèse (« Qu'on loge... ») à la proposition principale (« il verra par raison évidente »), enchaîne sur une subordonnée complétive qui en entraîne une autre (« qu'il est impossible

1. Montaigne a déjà décrit quelques effets « de la force de l'imagination » au chapitre I, 21.

qu'il en tombe»). Une proposition coordonnée («et si») s'enchaîne encore sur une complétive («que la vue de cette hauteur [...] ne l'épouvante et ne le transisse»). Cette structure d'emboîtements domine largement le texte, qui multiplie les relatives («qui sont en nos clochers», «qui puisse nous donner courage», «qui ne s'effraient»...) et les circonstancielles («encore qu'elles soient de pierre», «comme nous ferions si elle était à terre»).

La précision des circonstances

Montaigne a à cœur de valider son raisonnement en proposant au lecteur des exemples concrets et des situations précises. L'endroit proposé pour l'expérience, la cathédrale Notre-Dame, est connue de tous, comme le sont les lieux des expériences analogiques, que Montaigne rapproche du lecteur par le possessif «nos» («nos clochers», «nos montagnes de deçà»). C'est ainsi encore qu'il insiste sur les matériaux employés pour la cage : «menus filets de fer clairsemés», sur les dimensions de la poutre : «d'une grosseur telle qu'il nous la faut à nous promener dessus», mais aussi sur les galeries des clochers : «si elles sont façonnées à jour encore qu'elles soient de pierre». Le relief accordé aux circonstances cherche à rendre les expériences présentées le plus probantes possible : on ne s'étonne pas que le vertige puisse saisir celui qui voit le vide par la claire-voie des galeries, ou le philosophe qui n'est protégé de la chute que par un matériau léger. Quant à la parenthèse «(s'il n'a accoutumé le métier des couvreurs)», elle écarte le cas particulier d'un homme habitué à voir le vide, d'autant que l'habitude, qui est «une seconde nature», peut elle aussi s'interposer entre le sujet et la réalité.

DEUXIÈME AXE DE LECTURE

L'IMPOSTURE DES SENS

Cette page succède à un bilan inquiétant des incertitudes humaines. Montaigne entend montrer que les hommes ne peuvent entrer en contact avec les choses telles qu'elles sont parce qu'ils les voient toujours déformées.

Opposition entre l'apparence et la raison

Il existe une opposition entre la raison et la façon dont les choses apparaissent : le philosophe suspendu dans sa cage « verra par raison évidente qu'il est impossible qu'il en tombe », et il « ne se saurait garder [...] que la vue de cette hauteur extrême ne l'épouvante et ne le transisse ». Le vocabulaire de la vue est employé ici de manière récurrente (le verbe « voir » deux fois, l'adjectif « évidente ») pour souligner la contradiction entre la raison (« il verra par raison ») et l'impression des sens (« la vue »). Les deux verbes qui concluent la phrase (« ne l'épouvante et ne le transisse ») achèvent de démentir la raison en indiquant la force de la réaction à la fois psychologique et physiologique de la peur. L'hypothèse de la poutre conclut aussi à la défaite de la raison chez tous, par la tournure impersonnelle suivie d'une relative au subjonctif et le pronom « nous » généralise la réaction : « Il n'y a sagesse philosophique [...] qui puisse nous donner courage d'y marcher. »

Le pouvoir des sens

La fin du texte le dit encore plus nettement : les sens « ont cette puissance de commander notre discours et notre âme ». En passant de la vue à l'ouïe, Montaigne n'éprouve pas le besoin d'apporter d'autres exemples de l'imposture des sens : si la vue, qui est le plus fiable des cinq sens, nous trompe, que dire des autres ? Le jugement superlatif de Théophraste suffit : l'ouïe est « le plus dangereux instrument que nous ayons pour recevoir des impressions violentes à nous troubler et changer ».

La raison ne peut rien contre les effets non pas de la vue mais des images que suscite la vue. En insistant sur l'absence de risques encourus (« par raison évidente », « d'une grosseur telle qu'il nous la faut à nous promener dessus », et « qui est une évidente imposture de la vue »), Montaigne fait surgir le paradoxe du vertige : il fait trembler et transit alors même qu'on est à l'abri du danger. Pourquoi ? Parce que la vue suscite des images que l'esprit interprète en faussant les données du réel. La preuve en est donnée par l'observation qu'ajoute

Montaigne : « J'y remarquai aussi, quelque hauteur qu'il y eût, pourvu qu'en cette pente il s'y présentât un arbre [...] pour soutenir un peu la vue [...] que cela nous allège et donne assurance, comme si c'était chose de quoi à la chute nous pussions recevoir secours. » La vue nous trompe aussi quand elle nous rassure, comme l'indique d'une part la fragilité de la condition exprimée (« pourvu que ») et d'autre part la comparative qui suggère l'absurdité du raisonnement : « comme si... » L'imagination est coupée du réel ; c'est ce que traduit encore la courte phrase : « Il y en a qui n'en peuvent pas seulement porter la pensée », qui signifie que le sentiment du vertige peut être purement mental, qu'il travaille sur une image.

TROISIÈME AXE DE LECTURE UNE ATTAQUE EN RÈGLE CONTRE LES PHILOSOPHES

Cette démonstration de l'imposture des sens et des effets de l'imagination dénonce encore la vanité de la philosophie, ne serait-ce que parce qu'elle se situe au terme d'un chapitre qui passe en revue les théories et les désaccords des philosophes sur des notions telles que l'âme. L'attaque des philosophes se fait de façon directe, par une série de traits piquants à leur adresse. Elle se fait aussi de façon plus indirecte, à travers la reconnaissance du corps qui occupe une place importante dans ce texte.

L'attaque des philosophes

Le choix du sujet de l'expérience : « un philosophe » annonce l'offensive menée par Montaigne. La situation qu'il propose du philosophe suspendu dans une cage participe du burlesque, la cage étant plutôt l'habitacle réservé à un animal dangereux. La solennité et la visibilité du lieu (les « tours Notre Dame de Paris ») ajoutent de l'irrévérence, et l'on peut même voir dans la cage le carcan d'une logique qui tourne à vide, comme le laisse entendre l'ironie de l'expression « par raison évidente », qui relève du langage logique volontiers utilisé par les philosophes du Moyen Âge. Le passage de la cage à la poutre n'améliore pas réellement l'image du philosophe, dont les compétences sont bien au-dessous de celles d'un funambule. Enfin, le texte procède à une disqualification des philosophes puisque leur supériorité, ironiquement appelée « sagesse philosophique », est annihilée par la comparaison d'abord avec les couvreurs (qui accomplissent un travail manuel, « mécanique ») puis avec le commun des mortels : « nous ». La raillerie culmine avec l'exemple de Démocrite*, le philosophe qui « se creva les yeux pour décharger l'âme de la débauche qu'elle en recevait ». Au lieu de le nommer, Montaigne le désigne ironiquement : « ce beau philosophe ». Sa mutilation conjugue la cruauté à l'égard de soi-même et la vanité puisqu'il choisit de cesser de voir afin de pouvoir raisonner. C'est-à-dire qu'il achève de se couper de la réalité en refusant son corps.

L'importance du corps

La présence du corps dans ce texte indique la place que Montaigne lui concède. C'est par le corps et malgré les erreurs des sens que l'homme réagit au monde qui l'environne. C'est pourquoi le corps est au centre de l'expérience menée, qu'il lui faille être enfermé dans une cage ou marcher sur une poutre. L'importance du corps nous est rendue sensible par le caractère pittoresque des termes qui désignent les réactions physiques engendrées par la peur : « Je ne pouvais souffrir la vue de cette profondeur infinie sans horreur et tremblement de jarrets et de cuisses. » Montaigne montre ainsi dans quelle dépendance nous vivons à l'égard de notre corps. La fin de cette page insiste sur la nécessité vitale de nos sens, en raillant le philosophe Démocrite, qui s'est aveuglé : « ... et se devait priver enfin de tous les autres sens, c'est-à-dire de son être et de sa vie. » Car les sens sont source de connaissance et de plaisir.

CONCLUSION

Cette page montre combien l'imagination nous projette hors du temps et de l'espace où nous sommes, et va jusqu'à produire des désordres psychosomatiques. Pascal se rappellera ce texte mais là où Montaigne donne quatre exemples de vertige, il ne retiendra que celui du philosophe marchant sur une planche. Se montrant plus concis et plus précis, il écartera la saveur concrète de ce texte et conclura à la misère de l'homme. L'analyse de Montaigne, qui se fonde sur un raisonnement expérimental, montre le caractère irrationnel du vertige, mais prend avec indulgence les mesures de l'homme (au sens de limites mais aussi de capacités).

Texte 4 | Du repentir
(III, 2)

Les autres forment l'homme, je le récite[1], et en représente un particulier bien mal formé, et lequel si j'avais à façonner de nouveau, je ferais vraiment bien autre qu'il n'est; meshui[2] c'est fait. Or les traits de ma peinture ne se fourvoient point[3], quoiqu'ils se changent et diversifient. Le monde n'est qu'une branloire pérenne[4] : toutes choses y branlent sans cesse, la terre, les rochers du Caucase, les pyramides d'Égypte, et du branle public[5] et du leur. La constance même n'est autre chose qu'un branle plus languissant. Je ne puis assurer[6] mon objet, il va trouble et chancelant d'une ivresse naturelle. Je le prends en ce point, comme il est, en l'instant que je m'amuse à lui[7]. Je ne peins pas l'être, je peins le passage : non un passage d'âge en âge, ou comme dit le peuple, de sept en sept ans[8], mais de jour en jour, de minute en minute. Il faut accommoder mon histoire à l'heure. Je pourrai tantôt[9] changer, non de fortune[10] seulement, mais aussi d'intention. C'est un contrôle[11] de divers et muables accidents et d'imaginations irrésolues[12], et quand il y échoit[13], contraires, soit que je sois autre moi-même, soit que je saisisse les sujets par autres circonstances et considérations. Tant y a que je me contredis bien à

1. raconte
2. désormais
3. ne s'éloignent pas de la vérité
4. balançoire perpétuelle
5. mouvement universel
6. fixer
7. m'occupe de lui
8. Le peuple croyait que l'on changeait tous les sept ans : 7 ans était l'âge de raison, 14 ans l'entrée dans l'adolescence, 21 ans l'âge de la majorité.
9. bientôt
10. de condition
11. examen
12. événements et idées hésitantes
13. et même parfois

l'aventure[1], mais la vérité, comme disait Démade, je ne la contredis point. Si mon âme pouvait prendre pied[2], je ne m'essaierais pas, je me résoudrais; elle est toujours en
25 apprentissage et en épreuve. Je propose une vie basse et sans lustre, c'est tout un. On attache aussi bien toute la philosophie morale à une vie populaire et privée qu'à une vie de plus riche étoffe : chaque homme porte la forme entière de l'humaine condition. Les auteurs se communiquent au
30 peuple par quelque marque spéciale et étrangère; moi le premier par mon être universel, comme Michel de Montaigne, non comme grammairien, ou poète, ou jurisconsulte. Si le monde se plaint de quoi[3] je parle trop de moi, je me plains de quoi il ne pense seulement pas à soi.

INTRODUCTION

L'« Avis au lecteur » de 1580 nous avertissait : « Lecteur, je suis moi-même la matière de mon livre. » Ce projet s'affirme encore plus dans le troisième livre, où les chapitres s'allongent et où diminue la part réservée aux auteurs mentionnés sous forme de citations. C'est ainsi que le deuxième des treize chapitres du dernier livre des *Essais*, « Du Repentir », s'ouvre par une réflexion sur l'écriture de soi. Montaigne y définit son dessein : décrire l'homme. Mais cette entreprise est difficile étant donné l'instabilité universelle; c'est pourquoi Montaigne s'applique à ajuster le mouvement de son écriture au mouvement de son être et du monde. Ainsi il pourra brosser son portrait, et donner à travers lui une image de la condition humaine.

On s'attachera aux images de la mobilité universelle avant de s'intéresser à la définition par Montaigne de son livre. On se demandera enfin comment l'écriture s'adapte à la mobilité de toutes choses.

1. Toujours est-il qu'il peut m'arriver de me contredire.
2. se fixer
3 de ce que

PREMIER AXE DE LECTURE
LA MOBILITÉ UNIVERSELLE

Le mouvement du texte

Dans sa composition même, le texte présente un mouvement de la pensée qui fait passer des «autres» au moi («les autres forment l'être, je le récite»), puis du moi au «monde» («Le monde n'est qu'une branloire pérenne»), et de nouveau du monde au moi («je ne puis assurer mon objet») et au livre («je ne peins pas l'être»), et enfin du livre aux autres hommes («On attache aussi bien toute la philosophie morale à une vie populaire et privée [...] : chaque homme porte en soi la forme de l'humaine condition»). La mobilité de cette structure souligne à quel point le moi et le monde agissent l'un sur l'autre. Montaigne a souvent décrit cette diversité universelle, en particulier dans l'«Apologie de Raymond Sebond», où il explique : «Finalement il n'y a aucune constante existence, ni de notre être, ni des objets.»

Les images du mouvement

Ici, les images du mouvement sont particulièrement nombreuses pour dire l'inconstance. Elles apparaissent d'abord dans les verbes : «toutes choses y branlent», «je pourrai tantôt changer». Dans des phrases affirmatives, les verbes disent le mouvement, et ceux qui traduisent l'arrêt, la fixation sont niés soit directement («je ne puis assurer mon objet»), soit par leur situation dans une proposition hypothétique : «si mon âme pouvait prendre pied». Les substantifs contribuent tout autant à désigner le mouvement et l'inconstance : on trouve deux fois le mot «passage» dans la même phrase; de même le mot «branle» est employé deux fois dans deux phrases qui se suivent. L'expression «branloire pérenne» reprend en écho le nom «branle» sous une autre forme nominale et l'associe à un adjectif qui en multiplie à l'infini le mouvement, dans une métaphore qui définit le monde. Les adjectifs enfin sont encore plus nombreux à répéter l'idée de variabilité et d'inconstance : «trouble et chancelant»,

« divers et muables accidents », « irrésolues, et, quand il y échoit, contraires ».

Le mouvement affecte l'espace (« le monde »), et les récentes découvertes scientifiques (la révolution de la Terre autour du Soleil) et géographiques (le Nouveau Monde) ont probablement contribué à convaincre Montaigne du fait que la carte du monde n'est pas encore stable (« Notre monde vient d'en trouver un autre, et qui nous dira si c'est le dernier de ses frères », III, 6). C'est ainsi que Montaigne souligne la paradoxale mobilité des « rochers du Caucase » et des « pyramides d'Égypte ». Mais le mouvement affecte aussi le temps : l'être n'est jamais semblable à lui-même, comme l'indiquent les notations temporelles : « en ce point », « en l'instant que je m'amuse à lui », « de minute en minute ». La présence du hasard vient enfin renforcer cette universelle mobilité. Elle est exprimée par la locution « à l'aventure », mais aussi par l'emploi du futur d'incertitude « je pourrai ».

On le voit : à la diversité du monde s'ajoute la diversité de l'observateur modifiant son point de vue. C'est pourtant cette diversité que Montaigne veut peindre, comme il s'attache à le dire dans cet extrait où il redéfinit son projet d'écriture et son livre.

DEUXIÈME AXE DE LECTURE
LA DÉFINITION DU LIVRE

Un portrait

C'est un portrait que Montaigne veut proposer. Le lexique insiste sur le travail de « peinture » : le verbe « peindre » est utilisé deux fois, d'abord de façon négative, puis dans une affirmation (« je ne peins pas l'être, je peins le passage »). Mais cette peinture n'a rien de pittoresque : les termes qui la définissent ne se réfèrent pas à la couleur ou à la forme. Ils insistent en revanche sur le caractère artisanal de la tâche entreprise : le verbe « façonner » assimile ainsi l'écrivain au sculpteur qui travaille l'argile pour en tirer une figure. L'écriture se trouve encore définie comme une forme d'enregistrement des états de conscience : le mot « contrôle » montre une volonté de précision d'une vérité presque scientifique, et le verbe « récite », dans la première phrase, s'oppose au dessein didactique qu'affichent les autres auteurs. Le portrait, l'écriture de soi apparaît donc comme une recherche de la vérité, une recherche rendue difficile par l'instabilité universelle.

Difficultés de la peinture de soi

En effet, le modèle dont le peintre s'inspire n'est pas immobile. Le sujet « je » est à la fois l'artisan du portrait et son modèle, et cette ambivalence lui impose un dédoublement. À cela s'ajoute une autre difficulté : le moi est soumis à des modifications constantes et n'échappe pas à la mobilité décrite. Ces modifications sont à la fois extérieures et intérieures. Le sujet n'a pas de certitude sur sa vie : « je pourrai changer de fortune ». Mais il peut encore changer « d'intention », ou regarder les choses d'un point de vue différent : c'est ce qu'expriment les propositions « soit que je sois autre moi-même, soit que je saisisse les sujets par autres circonstances et considérations ». Conscient que nous pouvons « rire et pleurer d'une même chose » (c'est le titre d'un de ses chapitres), Montaigne sait que le sujet est susceptible de toutes les métamorphoses.

Autre difficulté rapidement balayée : comment peut-il intéresser des lecteurs alors qu'il décrit « une vie basse et sans lustre » ? En quoi son portrait a-t-il valeur exemplaire ? Comment l'individu rejoint-il l'universel, « l'humaine condition » ? Outre la modestie dont témoigne ici Montaigne (il a exercé des fonctions publiques et des missions diplomatiques délicates entre Henri III et le futur Henri IV), il entend montrer avec force que la vie d'un particulier, d'un homme privé est aussi intéressante du point de vue de l'analyse du moi que la vie d'un homme d'État. En effet, c'est la connaissance de soi et la lucidité qui prévalent ici sur l'identité de l'individu examiné. Montaigne le déclare clairement en choisissant une formule générale à valeur de maxime (on note l'emploi du présent et du pronom indéfini « on ») : « On attache aussi bien toute la philosophie morale à une vie populaire et privée qu'à une vie de plus riche étoffe. »

En choisissant de se peindre soi-même dans sa vie personnelle, Montaigne prolonge le dessein de Plutarque dans ses *Vies*. Car aux yeux de la morale, tout individu quel qu'il soit vaut comme un échantillon de l'humanité entière. Les charges et les offices sont éminemment contingents (III, 10), et les *Essais* sont une recherche du vrai visage qui se cache derrière les apparences, derrière les rôles provisoires que la société distribue aux hommes.

Comment cependant atteindre cet objectif? Comment l'écriture, qui est fixation, par opposition à la parole mobile, peut-elle s'ajuster à l'être en mouvement?

TROISIÈME AXE DE LECTURE
UNE ÉCRITURE EN MOUVEMENT

Les balancements de l'écriture

Ce texte nous montre particulièrement comment l'écriture peut traduire le mouvement et en être même constituée. Les balancements et les figures binaires animent les phrases : tel le redoublement des termes «trouble et chancelant», «en apprentissage et épreuve», «je le récite et représente». Ils reproduisent ainsi le balancement de la balançoire et manifestent bien l'oscillation permanente d'un état à l'autre et l'impossibilité de poser une affirmation sans la corriger et la nuancer quelque peu, c'est-à-dire éviter de la figer. Ces balancements peuvent encore prendre la forme d'une opposition entre une négative et une affirmative, comme le démontrent trois exemples ici : «je ne peins pas l'être, je peins le passage», «je ne m'essaierais pas, je me résoudrais», et «je me contredis, mais la vérité, je ne la contredis point». Par ces redoublements et ces corrections, le lecteur prend conscience de la difficulté de dire les choses, de dire le moi dans son instabilité. Les approximations peuvent seules donner une idée de ce moi, tout en mettant la phrase en mouvement et en doute. Le rythme lui-même se fait volontiers binaire pour proposer diverses hypothèses : «soit que je sois autre moi-même, soit que je saisisse [...]». Parfois, haletant et irrégulier, il fait alterner les phrases longues et les phrases brèves pour indiquer le caractère erratique et imprévisible de ce mouvement. On note par exemple l'opposition entre la phrase « Tant y a que je me contredis bien à l'aventure, mais la vérité, comme disait Démade, je ne la contredis point », et la phrase plus courte qui la suit. De même, il arrive que la phrase réserve des surprises : elle commence selon un rythme binaire qu'elle abandonne après un tournant, pour un ajout comme imprévu : « c'est un contrôle de divers et muables accidents, et d'imaginations irrésolues, et, quand il y échoit, contraires ». On est donc devant une écriture de l'essai, au sens d'expérience et d'examen, une écriture qui ne fixe rien sinon des vertiges.

La place du « je »

Une chose cependant ne relève pas du vertige, c'est la présence du « je » qui vient donner son unité au portrait. On observe d'abord que ce passage est dénué de citations : Montaigne ne fait donc aucune place ici à la pensée d'autrui. La présence du moi est fortement marquée par son opposition initiale avec les « autres » mais aussi avec le peuple quand Montaigne réfute incidemment la croyance superstitieuse à la datation des « passages ». Elle est encore soulignée par le dédoublement que Montaigne rappelle constamment entre lui sujet et lui objet : « je ne puis assurer mon objet. Il va trouble... », ou encore « je le prends en ce point, comme il est ». L'emploi du présent de l'indicatif renforce le caractère réflexif qu'imprime au texte l'utilisation presque exclusive du pronom de la première personne. C'est dire que le lecteur assiste dans l'instant même de sa lecture à une écriture en train de se faire. Mais c'est aussi affirmer l'originalité du projet. L'opposition avec l'écriture des « autres » est sans ambiguïté : le mot « essai », que nul avant Montaigne n'avait appliqué à l'écriture, l'autoportrait modeste, dénué de prétention didactique ou de visée spirituelle, est nouveau. Saint Augustin avait bien écrit des *Confessions,* mais il y retraçait un itinéraire spirituel qui le menait de la vie sans Dieu à la reconnaissance de la grâce. Montaigne n'adopte pas cette perspective et ce chapitre, justement intitulé « Du repentir », démontre à quel point il est loin de la perspective chrétienne puisqu'il refuse le repentir, qu'il considère comme une trahison de soi-même.

CONCLUSION

Dans ce texte qui inaugure le chapitre « Du repentir », Montaigne définit l'entreprise des *Essais* et la difficulté qu'elle suppose, puisqu'il s'agit de saisir le changement à l'œuvre à tout moment. Il cherche à se dire tel qu'il est, posant sur lui un regard que l'on pourrait comparer au regard de l'anthropologue. Pascal a vu du narcissisme dans cette attitude de recherche de soi[1], mais c'est parce qu'il n'a pas voulu voir que Montaigne, loin de se complaire à lui-même, s'attache avant tout à découvrir la vérité de son être et, à travers elle, à proposer aux autres hommes une image d'eux-mêmes. Auteur du célèbre texte sur le divertissement, Pascal a également oublié un peu vite que Montaigne le premier a déploré le divertissement qui détourne les hommes de penser à eux-mêmes, de pratiquer l'introspection, entreprise à laquelle lui-même a consacré toute son énergie et toute son allégresse.

1. « Le sot projet qu'il a eu de se peindre ! »

Texte 5 | Des Coches
(III,6)

En côtoyant la mer à la quête de leurs mines, aucuns[1] Espagnols prirent terre en une contrée fertile et plaisante, fort habitée, et firent à ce peuple leurs remontrances accoutumées[2] : Qu'ils étaient gens paisibles venant de lointains voyages, envoyés de la part du roi de Castille, le plus grand prince de la terre habitable, auquel le pape, représentant Dieu en terre, avait donné la principauté de toutes les Indes[3] ; que s'ils voulaient lui être tributaires, ils seraient très bénignement traités, leur demandaient des vivres, pour leur nourriture, et de l'or, pour le besoin de quelque médecine ; leur remontraient au demeurant la créance d'un seul Dieu et la vérité de notre religion, laquelle ils leur conseillaient d'accepter, y ajoutant quelques menaces. La réponse fut telle : que, quant à être paisibles, ils n'en portaient pas la mine, s'ils l'étaient. Quant à leur roi, puisqu'il demandait, il devait être indigent et nécessiteux, et celui[4] qui avait fait cette distribution homme aimant dissension d'aller donner à des tiers chose qui n'était pas sienne, pour le mettre en débat contre les anciens possesseurs. Quant aux vivres, qu'ils leur en fourniraient, d'or, ils en avaient peu, et que c'était une chose qu'ils mettaient en nulle estime, d'autant qu'elle était inutile au service de leur vie, là où tout leur soin regardait seulement à la passer heureusement et plaisamment. Pourtant, ce qu'ils en pourraient trouver, sauf ce qui était employé au service de leurs dieux, qu'ils le prissent

---

1. quelques
2. C'est le *requerimiento*, qui impose aux indigènes la religion catholique et la domination du roi d'Espagne.
3. Par le traité de Tordesillas, en 1493, le pape Alexandre VI avait partagé entre Espagnols et Portugais les terres conquises du Nouveau Monde (appelées « Indes »).
4. le pape

hardiment. Quant à un seul Dieu, le discours leur en avait plu, mais qu'ils ne voulaient changer leur religion, s'en étant si utilement servis si longtemps, et qu'ils n'avaient accoutumé prendre conseil que de leurs amis et connaissants.
30 Quant aux menaces, c'était signe de faute de jugement d'aller menacer ceux desquels la nature et les moyens étaient inconnus. Ainsi qu'ils se dépêchassent promptement de vider leur terre, car ils n'étaient pas accoutumés de prendre en bonne part les honnêtetés et remontrances de gens
35 armés et étrangers; autrement, qu'on ferait d'eux comme de ces autres, leur montrant les têtes d'aucuns[1] hommes justiciés autour de leur ville. Voilà un exemple de la balbutie de cette enfance.

INTRODUCTION

Le chapitre «Des Coches» passe de l'idée des moyens de transport (présents dans le titre) aux fastes des anciens empereurs puis à la conquête de l'Amérique[2]. Avant d'évoquer le Nouveau Monde, Montaigne a souligné la relativité des connaissances : les hommes n'ont-ils pas ignoré un continent pendant des siècles? Posée en préambule à notre texte, cette ignorance est importante parce qu'elle met en cause la supériorité dont se targuent les Européens. Montaigne, qui n'est jamais allé en Amérique, a rencontré des «cannibales» (Brésiliens) venus en France (I, 31), et surtout il a lu quelques récits sur «Les Indes», tel que celui de Lopez de Gomara, secrétaire de Cortès. Dans une éloquente antithèse, il vient de dénoncer la brutalité de la conquête : «Tant de villes rasées, tant de nations exterminées, tant de millions de peuples passés au fil de l'épée, et la plus riche et belle partie du monde bouleversée pour la négociation des perles et du poivre.»

1. quelques
2. Pour mémoire, Cortès arrive au Mexique en 1531 et l'empire inca est colonisé en 1535.

Il présente ici, non sans ironie, un diptyque qui oppose point par point le discours des conquérants et celui des indigènes. Renversant les perspectives habituelles, Montaigne retourne l'argument traditionnel qui accorde le privilège à l'ancienneté : pour lui, la civilisation de la vieille Europe est près de mourir, tandis que la civilisation amérindienne est en plein essor. Il souligne aussi, en dénonçant la fausse logique des Européens, à quel point la civilisation européenne est faite de corruption et de mensonge.

PREMIER AXE DE LECTURE
UN ÉCHANGE FAUSSÉ

La composition en miroir

Ce texte est composé d'un discours et de la réponse faite à ce discours, tous deux en style indirect libre : « Qu'ils étaient gens paisibles... » Par l'usage de ce style, qui observe les temps rapportés du discours indirect mais reprend les mots des locuteurs, Montaigne se met à distance de ce qui est dit. Le texte est bâti sur une parfaite symétrie : les deux discours comptent le même nombre de propositions, qui sont reprises dans le même ordre. La répétition exacte par les Amérindiens des termes employés par les Espagnols (« paisibles », « vivres », « or », « un seul Dieu ») accentue cet effet de symétrie et souligne l'enjeu du discours, en même temps qu'elle signifie l'attention prêtée aux Espagnols. De même, on retrouve d'un discours à l'autre une amplification quasi musicale du rythme puisque de la douceur initiale, on passe progressivement aux recommandations (« qu'ils leur conseillaient d'accepter », à quoi fait écho « le discours leur en avait plu ») puis aux menaces. Ces menaces qui semblent dissimulées chez les Espagnols puisqu'elles apparaissent à la fin de leur harangue (« y ajoutant quelques menaces ») sont ouvertes chez les indigènes, qui leur consacrent une phrase complète : « Quant aux menaces, c'était signe de faute de jugement, d'aller menaçant... » Les deux harangues se succèdent sans transition : « La réponse fut telle. » L'intervention immédiate de la réponse des indigènes après le discours des colons suggère l'intelligence des Amérindiens. Ces effets de miroir lexicaux, sémantiques et rythmiques attestent que les indigènes ont bien écouté le discours qui leur a été tenu.

Ce qu'ils en modifient, loin d'être dû au hasard, est porteur de sens. On observe ainsi que les indigènes ne reprennent précisément pas les termes mensongers : les Espagnols appellent leur roi « le plus grand prince de la terre habitable », et cette épithète détachée reste sans écho dans le discours des Amérindiens. Quant au « Pape », il se trouve réduit dans le second discours à un démonstratif qui le renvoie à l'anonymat : « celui ». Il arrive enfin que le mensonge ne porte pas seulement sur quelques termes, mais sur toute la phrase. En ce cas, la réponse des indigènes produit au contraire une dilatation de ce que les Espagnols voulaient cacher : alors qu'ils faisaient comme incidemment leur demande d'or (« et de l'or, pour le besoin de quelque médecine »), les Amérindiens reprennent cette requête en y ajoutant leur appréciation : « d'or, ils en avaient peu : et que c'était chose qu'ils mettaient en nulle estime. » Derrière le discours, ils ont perçu le mensonge.

L'enjeu du discours : un échange inégal

En effet, l'enjeu de ce *requerimiento* est un échange particulièrement inégal. Tout d'abord, parce que les Espagnols arrivent en pays conquis : sans connaître la contrée où ils débarquent, ils déclarent leur roi « le plus grand prince de la terre habitable ». Ils ignorent tout de l'organisation politique du peuple auquel ils se présentent et pourtant ils se targuent de l'arbitrage du pape, qui « avait donné la principauté de toutes les Indes » au roi d'Espagne. Ils ne cherchent à imposer aux indigènes qu'une relation de pouvoir, fondée sur une hiérarchie, et on remarque qu'ils leur refusent le statut de sujets libres. La seule phrase dans laquelle les Amérindiens occupent la fonction de sujet est précisément une demande d'assujettissement : « Que s'ils voulaient lui être tributaires, ils seraient... » Le reste du temps, les Espagnols traitent les indigènes en objets dans leurs phrases : « leur demandaient », « leur remontraient... ». L'échange est encore inégal parce que les Espagnols multiplient les demandes :

des vivres, de l'or, une conversion religieuse. Mais ils ne donnent rien : la « créance d'un seul Dieu » n'est pas même proposée, elle est « remontrée », ordonnée. La réponse des indigènes souligne sur tous les points le caractère profondément inégal de l'échange proposé. Loin de se soumettre aux Espagnols, ils indiquent « qu'ils n'avaient accoutumé de prendre conseil que de leurs amis » (là où les Espagnols sont « gens armés et étrangers »). Quant à leur discours, bien qu'il reflète celui des colons, il est plus long puisqu'il développe les présupposés contenus dans le discours colonisateur. Ainsi, les Amérindiens récupèrent, par la distribution de la parole, leurs prérogatives. Ils reconquièrent encore une forme de supériorité en répondant par des dons aux demandes voilées des Espagnols : « Quant aux vivres, ils leur en fourniraient », « d'or, ils en avaient peu [...] pourtant ce qu'ils pourraient en trouver, [...] qu'ils le prissent hardiment ». Une telle générosité fait apparaître en pleine lumière la mendicité des Espagnols. Enfin, là où les Espagnols se contentent d'affirmer et usent d'une fausse logique, les indigènes dominent par l'usage qu'ils font du raisonnement, et leur discours constitue une véritable réfutation logique.

DEUXIÈME AXE DE LECTURE
UNE RÉFUTATION LOGIQUE

Cette réfutation se situe sur le plan de la logique d'ensemble et sur celui de la logique du détail, si bien que c'est une réflexion sur le pouvoir qui se déduit de leur discours.

La logique d'ensemble

Les Espagnols se présentent comme puissants, comme l'atteste la tournure superlative : leur roi est « le plus grand prince ». Or, malgré cette proclamation de puissance, ils mendient, comme le font apparaître les indigènes : « Quant à leur roi, puisqu'il demandait, il devait être indigent et nécessiteux. » Les deux adjectifs dénoncent le mensonge du superlatif. Autres mensonges que relèvent les Amérindiens : les affirmations par lesquelles les Espagnols se déclarent paisibles et promettent aux indigènes « qu'ils seraient très bénignement traités». Ici encore, le discours des Espagnols contient son propre démenti, puisqu'ils «ajoutent quelques menaces», et les indigènes épinglent la contradiction : «quant aux menaces, c'était signe de faute de jugement...» Enfin, les indigènes refusent de s'asservir aux Espagnols invoquant le partage par le pape de «la principauté de toutes les Indes». En effet, la conquête repose sur le consentement des peuples conquis, comme le fait entendre la proposition : «s'ils voulaient lui être tributaires». Les Amérindiens dans leur réplique réfutent le partage du pape en se situant sur le plan juridique : «celui qui avait fait cette distribution, homme aimant dissension, d'aller donner à un tiers chose qui n'était pas sienne, pour le mettre en débat contre ses anciens possesseurs». Les indigènes s'appliquent encore à relever les failles du discours qu'on leur tient.

L'inadéquation du signifiant au signifié

Peut-être parce qu'ils sont plus proches de la nature, les Amérindiens sont sensibles aux gestes qui accompagnent les mots, et refusent d'être dupes d'un langage que contredit l'évidence visuelle : «Que quant à être paisibles, ils n'en portaient pas la mine.» Les récits de la conquête des Indes rapportent que les Espagnols se présentaient «armés» jusqu'aux dents et effrayaient les peuples à conquérir. En opposant l'apparence à l'affirmation verbale, les indigènes plaident pour un langage de la vérité. De la même façon, ils font apparaître comme un prétexte la raison médicale invoquée par les Espagnols pour demander de l'or (même si l'or entrait à dose infime dans la composition de certains médicaments) : l'or «était chose qu'ils mettaient en nulle estime, d'autant qu'elle était inutile au service de leur vie, là où tous leurs soins...» De l'imaginaire, on passe au réel, et l'affrontement engage implicitement une discussion sur la nature du pouvoir.

La discussion sur le pouvoir

En face des indigènes, les Espagnols témoignent d'une grande condescendance. Ils tablent sur l'imaginaire de la distance : venus de lointains voyages, envoyés par le « représentant de Dieu sur terre » (le pape), ils cherchent à impressionner les Amérindiens par un ensemble de conventions qui leur permettent de s'arroger une puissance absolue. Leur discours est codé : il s'agit de « remontrances accoutumées », et les Espagnols comptent sur l'aveuglement et l'ignorance des termes juridiques pour s'imposer. Mais les indigènes ne s'en laissent pas conter. Ils répondent par des vocables concrets et par des images tangibles : ils appellent le pape « homme aimant dissensions », ils se considèrent comme « les anciens possesseurs » de leur terre, ils se préoccupent peu des cérémonies des Espagnols, ils les prient de « vider leur terre », et précisent le sens de leur message en « leur montrant les têtes d'aucuns hommes justiciés ». Par cette confrontation, Montaigne oppose en réalité deux civilisations.

TROISIÈME AXE DE LECTURE
QU'EST-CE QUE LA CIVILISATION ?

La dénonciation des conquérants

Réfuté par les indigènes, le discours des conquérants est encore dénoncé par Montaigne qui, par l'ordre même des propositions, montre que la conversion, qui était le prétexte de la conquête (il s'agissait de diffuser le message de l'Évangile), vient après les vivres et l'or. La proposition « y ajoutant quelques menaces » sort du discours indirect libre; Montaigne veut faire entendre la violence des conquérants qui menacent au moment même où ils prétendent transmettre une religion d'amour et de fraternité. Enfin, la phrase de récit initiale « à la recherche de leurs mines » souligne la cupidité des colonisateurs, d'autant plus que le possessif « leurs » montre qu'ils se sont déjà attribué ce qu'ils n'ont pas encore trouvé.

La peinture des Amérindiens

Par contraste, les indigènes font preuve de générosité alors qu'ils ont « peu » d'or : « qu'ils [les Espagnols] le prissent hardiment ». Ils témoignent de courage puisqu'ils ne se laissent pas intimider par des hommes armés, encore moins par des menaces. Ils se montrent sages, comme le suggère leur dédain de l'or, qui n'est pas utile à la vie. Ils se révèlent capables de sentiment religieux : l'or a chez eux une valeur esthétique et sert « pour leurs dieux ». Leur conception de la religion témoigne encore d'un sens aigu de la relativité : ouverts au discours d'autrui et donc prêts à la tolérance (« quant à un seul Dieu, le discours leur en avait plu »), ils apprécient une religion à son efficacité sociale et morale (« s'en étant si utilement servis ») et à son ancienneté. Montaigne salue ostensiblement leur intelligence dans l'antiphrase qui conclut ce texte : « Voilà un exemple de la balbutie de cette enfance. » Il fait ainsi apparaître les Amérindiens comme moins sauvages que les conquérants, et il annonce par là le thème du bon sauvage qui sera développé au XVIIIe siècle.

CONCLUSION

Par une composition rigoureuse et qui établit non seulement une symétrie là où les Espagnols voulaient un rapport de force et de domination, mais encore une supériorité par la distribution de parole chez les indigènes, Montaigne fait le procès de l'impérialisme colonial. Il dénonce aussi la civilisation des conquistadores, qui se définit par le mensonge et l'arbitraire. Loin de permettre la rencontre fructueuse de deux civilisations, comme cela fut le cas du temps des conquêtes grecques (aux yeux de Montaigne), la conquête a saccagé le Nouveau Monde, converti par la force et perverti des esprits restés jusqu'alors proches de la nature. Au fond de cette entreprise, Montaigne décèle le même défaut de pensée que chez ceux qui veulent réformer une religion ou un État : une estime de soi excessive.

Lexique philosophique

ACADÉMICIENS : philosophes qui appartiennent à la Nouvelle Académie, par opposition à l'Académie, école de Platon.

ARCÉSILAS : philosophe grec du IIIe siècle av. J.-C., pour qui il n'y a pas de vérité, mais des opinions plus ou moins probables. Il fonda la Nouvelle Académie.

CATON : homme politique du Ier siècle av. J.-C., Caton d'Utique défendait avec ferveur la République romaine. Du parti de Pompée, il se suicida, en stoïcien farouche, quand César fut devenu souverain absolu.

DÉMOCRITE : philosophe grec du Ve siècle av. J.-C. Il a donné la première explication physique de l'univers qui exclut l'intervention des dieux. Sa morale préconise la modération dans les désirs.

ÉPAMINONDAS : général originaire de Béotie, une province grecque dont la capitale était Thèbes. Grâce à lui, Sparte, qui incarnait le despotisme, fut vaincue par Thèbes (370 av. J.-C.).

ÉPICURE (épicurisme) : philosophe grec du IVe siècle av. J.-C. Il considérait que le plaisir est le souverain bien. Ce plaisir consistait dans la culture de l'esprit et la pratique de la vertu.

HÉRACLITE : philosophe grec du Ve siècle av. J.-C. Misanthrope, il vivait en solitaire. Pour lui, le monde est en perpétuel changement et la raison trompe l'homme autant qu'elle lui rend service.

JULIEN L'APOSTAT : empereur à Rome de 361 à 363. Après avoir accepté le christianisme, il favorisa la renaissance du paganisme (d'où son surnom : être apostat, c'est renier la foi chrétienne).

EMMANUEL KANT : philosophe du XIIIe siècle. Il distingue la vie pratique, où il faut agir selon la loi, de la conscience individuelle critique.

Phocion : général et orateur athénien du IVe siècle av. J.-C. Il fut un valeureux combattant mais aussi un partisan de la paix.

Plutarque : moraliste grec du Ier-IIe siècle. Il est l'auteur des *Vies parallèles des empereurs grecs et romains* et des *Œuvres morales,* traduites en français par Jacques Amyot au XVIe siècle. Influencé par Platon, Plutarque se montre critique à l'égard des stoïciens.

Pyrrhon (pyrrhonisme) : philosophe grec du IVe siècle av. J.-C., fondateur du scepticisme, ou pyrrhonisme, philosophie du doute.

Rhétorique : art de la mise en œuvre des moyens d'expression.

Sénèque : précepteur de Néron et philosophe romain du Ier siècle. Il est un représentant du stoïcisme.

Stoïciens (stoïcisme) : philosophes qui considèrent que le bonheur est dans la vertu, et qui veulent rester indifférents à la souffrance.

Théologie : la théologie étudie les questions religieuses à partir des textes sacrés et a Dieu pour objet.

Transcendant : qui implique une nature supérieure aux autres (Dieu, par rapport au monde).

Bibliographie

ÉDITIONS DES *ESSAIS*

- *Œuvres complètes (Essais, Journal de voyage, Lettres),* Gallimard, coll. « Bibliothèque de la Pléiade », 1967.
- Édition établie par Villey-Saulnier, PUF, coll. « Quadrige », 1988.
- Édition établie sous la direction de Jean Céard, Hachette, Pochothèque, 2001.

ÉTUDES CRITIQUES

- FRIEDRICH Hugo, *Montaigne,* Gallimard, 1968.
  Analyse déjà ancienne (1942), mais très solide.
- JEANSON Francis, *Montaigne par lui-même,* Le Seuil, 1951.
  Très abordable.
- LAZARD Madeleine, *Michel de Montaigne,* Fayard, 1992.
  Biographie riche et vivante.
- MERLEAU-PONTY Maurice, « Lecture de Montaigne », dans *Signes,* Gallimard, 1960.
  Une réflexion brève, mais très pertinente sur Montaigne.
- POUILLOUX Jean-Yves, *Lire les « Essais » de Montaigne,* Maspero, 1969.
  Analyse brillante du refus de la structure chez Montaigne.
- STARBONSKI Jean, *Montaigne en mouvement,* Gallimard, 1982 et 1993.
  Série d'études sur la relation de Montaigne aux autres, au mensonge, à la maladie.
- TOURNON André, *Montaigne en toutes lettres*, Bordas, 1989.
  Étude très riche, munie d'un index pratique et qui propose des analyses précises de certains chapitres.

Index

Guide pour la recherche des idées

Argumentation

Autrui

Éducation

Lecture

Passions

Philosophie

Politique

Temps

Vérité

Bussière Camedan Imprimeries
à Saint-Amand (Cher), France (VII-2004).
Dépôt légal : juillet 2004. N° d'édit. : 14807. N° d'imp. : 042830/1.
Imprimé en France

156 **Ponge**, Le parti pris des choses et autres recueils
28 **Prévert**, Paroles
6 **Prévost (abbé)**, Manon Lescaut
263 **Primo Levi**, Si c'est un homme
75 **Proust**, À la recherche du temps perdu
233/234 **Queneau**, Les fleurs bleues
62 **Rabelais**, Gargantua / Pantagruel
149 **Racine**, Andromaque
193 **Racine**, Bérénice
109 **Racine**, Britannicus
189 **Racine**, Iphigénie
39 **Racine**, Phèdre
227/228 **Renoir**, La règle du jeu
55 **Rimbaud**, Poésies
246 **Rimbaud**, Une saison en enfer/ Illuminations
82 **Rousseau**, Les confessions
215/216 **Rousseau**, Les confessions (Livres I à IV)
61 **Rousseau**, Rêveries du promeneur solitaire
243 **Sarraute**, Enfance
31 **Sartre**, Huis clos
194 **Sartre**, Les mots
18 **Sartre**, La nausée
209/210 **Senghor**, Éthiopiques
170 **Shakespeare**, Hamlet
169 **Sophocle**, Œdipe roi
44 **Stendhal**, La chartreuse de Parme
20 **Stendhal**, Le rouge et le noir
86 **Tournier**, Vendredi ou les limbes du Pacifique
148 **Vallès**, L'enfant
247 **Verlaine**, Fêtes galantes et autres recueils
218 **Vian**, L'écume des jours
262 **Voltaire**, Candide
113 **Voltaire**, L'ingénu
188 **Voltaire**, Zadig et Micromégas
35 **Zola**, L'assommoir
77 **Zola**, Au bonheur des dames
100 **Zola**, La bête humaine
8 **Zola**, Germinal
235 **Zola**, Thérèse Raquin
248 **Zweig**, Le joueur d'échecs

TEXTES EXPLIQUÉS

160 **Apollinaire**, Alcools
131 **Balzac**, Le père Goriot
141/142 **Baudelaire**, Les fleurs du mal/ Le spleen de Paris
135 **Camus**, L'étranger
159 **Camus**, La peste
143 **Flaubert**, L'éducation sentimentale
108 **Flaubert**, Madame Bovary
110 **Molière**, Dom Juan
166 **Musset**, Lorenzaccio
161 **Racine**, Phèdre
107 **Stendhal**, Le rouge et le noir
236/237 20 textes expliqués du XVIe siècle
220 **Verlaine**, Poésies
104 **Voltaire**, Candide
136 **Zola**, Germinal

BAC 2002 QUESTIONS TRAITÉES

Bac lettres Tle L/ES : les questions d'oral et d'écrit

PROFIL HISTOIRE LITTÉRAIRE

114/115 50 romans clés de la littérature française
174 25 pièces de théâtre de la littérature française
119 Histoire de la littérature en France au XVIe siècle
120 Histoire de la littérature en France au XVIIe siècle
139/140 Histoire de la littérature en France au XVIIIe siècle
123/124 Histoire de la littérature en France au XIXe siècle
125/126 Histoire de la littérature en France au XXe siècle
128/129 Mémento de la littérature française
151/152 Le théâtre: problématiques essentielles
179/180 La tragédie racinienne
181/182 Le conte philosophique voltairien
183/184 Le roman d'apprentissage au XIXe siècle
197/198 Les romans de Malraux : problématiques essentielles
201/202 Le drame romantique
223/224 Les mythes antiques dans le théâtre français du XXe siècle
229/230 Le roman naturaliste: Zola, Maupassant
231 Maîtres et valets dans la comédie du XVIIIe siècle
250/251 La poésie au XIXe et au XXe siècle
252/253 Les mouvements littéraires du XVIe au XVIIIe siècle
254/255 Les mouvements littéraires du XIXe et du XXe siècle
256/257 Le roman et la nouvelle
258/259 La tragédie et la comédie
260/261 Le biographique

GROUPEMENT DE TEXTES

94 La nature: Rousseau et les romantiques
95 La fuite du temps: de Ronsard au XXe siècle
97 Voyage et exotisme au XIXe siècle
98 La critique de la société au XVIIIe siècle
106 La rencontre dans l'univers romanesque
111 L'autobiographie
130 Le héros romantique
137 Les débuts de roman
155 La critique de la guerre
162 Paris dans le roman au XIXe siècle